わたしが見た「ふたつの革命」

エジプトの空の下

飯山 陽

晶文社

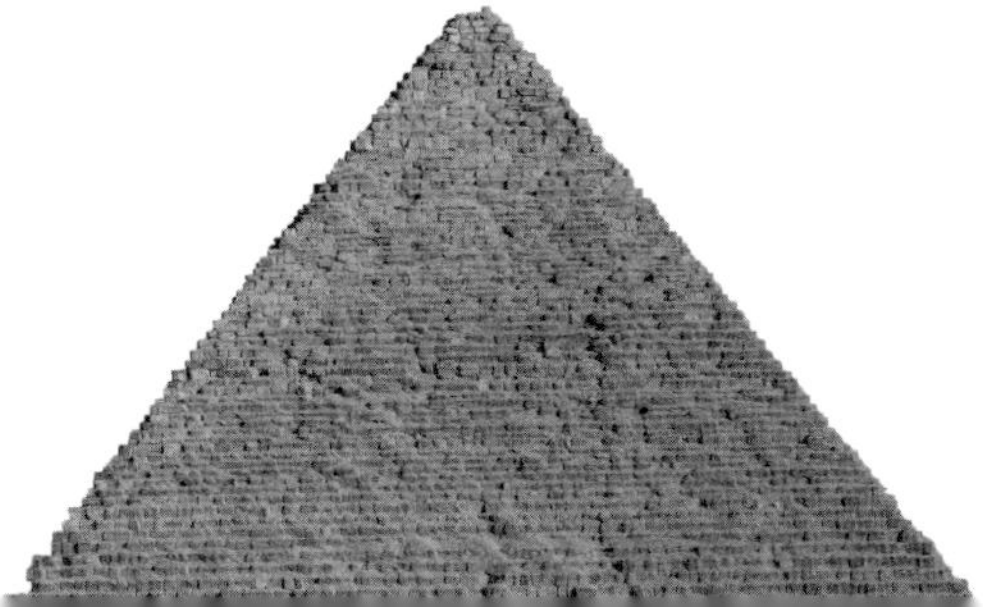

ブックデザイン
albireo

はじめに

人生はままならぬものです。

自分の計画通り順風満帆に生きてきたと自負する人は、そう多くはないでしょう。私のこれまでの人生も、計画通り、思い通りに進んだことなどほとんどなく、限りなく行き当たりばったりで、次々と出現する障壁をどうにか乗り越え、かろうじて生き延びてきたというのが実感です。

2011年にも大きな転機がありました。エジプトに住むことになったのです。私はイスラム教の研究者ですが、エジプト研究の専門というわけではなく、まさか住むことになるとは予想だにしていなかった国でした。

しかし決まったとなれば行くしかありません。夫と一歳になったばかりの娘を連れて、2011年の夏、いわゆる「アラブの春」と呼ばれる政治的動乱期の只中にあったエジプトの首都カイロに降り立ちましたさあ、ここからが大変です。奇妙な出来事、危険な事件が、息つく間もなく次々と起こり、残念すぎて笑ってやり過ごすしかないような場面に次々と出くわします。私はカイロで日本のメディアのために仕事をしていたので、日本ではちょっと考えられないような「危険人物」に会ったり、インタビューをしたりしたこともありました。

エジプトと聞いてみなさんが思い浮かべるのはピラミッドやスフィンクス、ツタンカーメンかもしれませんが、私の脳裏には数々の「エジプト名・珍場面」が走馬灯のように蘇ります。本書はその一部を、当時の記録や記憶をもとに書き上げたエッセイであり、また当時のありのままのエジプトの様子を書き留めているという点においてノンフィクションでもあります。

私はこれまで、イスラム教の論理やそれに関わる世界の事象を解き明かす本を何冊か書かせていただき、新聞や雑誌にコラムや時事分析・解説などを寄稿する機会も多くいただいています。これらを執筆する時の私はあくまでも研究者であり、研究者として執筆する際には常に自分自身の「気持ち」を排除し、「事実《ファクト》」に立脚した客観的記述を心掛けてきました。「気持ち」最優先の解説は、解説の体裁をとった唾棄すべきプロパガンダだと考えるからです。日本人にとって必要なのはイスラム教を利用したプロパガンダではなく、イスラム教の教義や、イスラム教徒の世界観や常識は我々日本人のそれとは全く異なるといった「事実」についての偏りのない情報・解説だと信じ、私はこれまで執筆活動を続けてきました。

一方、本書はエッセイです。これまでの研究者としてのスタンスを180度変更し、一人の人間としての私の「気持ち」を正直に吐露しました。

唖然失笑、吃驚仰天、笑止千万なエジプト体験を、皆さんにも楽しんでいただければ嬉しいです。

エジプトの空の下　目次

1 娘と親友とサラフィー運転手

2 ピラミッドを破壊せよ

3 頭上注意

4 バット餅

5 出エジプト

6 髪を隠す人、顔を隠す人

7 ファラオの呪い

8 エジプトのアルカイダ

9 牛の腹

10
ふたつの革命

エジプトの空の下

わたしが見た「ふたつの革命」

「エジプト革命」関連年表

2011年1月	エジプトで反政府デモ発生。
2011年2月	29年続いたムバラク政権崩壊。 (「エジプト第一革命」、いわゆる「アラブの春」の一環)
2012年6月	大統領選挙を経てムスリム同胞団出身のモルシ大統領就任。ムスリム同胞団による独裁化、経済・治安状況の悪化、言論弾圧などにより社会不安拡大。
2013年6月	モルシ退陣を求める大規模デモ発生。
2013年7月	軍がモルシを大統領職から解任、同胞団政権崩壊。 (「エジプト第二革命」)
2014年6月	大統領選挙を経て軍出身のシシ大統領就任、2021年現在もシシ政権継続。
2014年11月	「イスラム国シナイ州」樹立宣言、エジプト国軍が「テロとの戦い」を開始するも2021年現在もテロ活動継続中。

周辺諸国といわゆる「アラブの春」

2010年12月	【チュニジア】反政府デモ発生、翌年1月には23年続いたベンアリ政権崩壊(いわゆる「アラブの春」の発端)、社会不安は解消されず2021年現在も反政府デモが相次ぐ。
2011年1月	【シリア】反政府デモ発生。内戦状態となるも、2021年現在アサド政権が支配権をほぼ回復。
2011年1月	【イエメン】反政府デモ発生、11月には33年続いたサレハ政権崩壊、2021年現在も内戦状態。
2011年2月	【リビア】反政府デモ発生、8月には42年続いたカダフィ政権崩壊、内戦状態となり2020年に停戦するも不安定な状況が続く。
2014年6月	【シリアおよびイラク】「イスラム国」がカリフ制国家樹立宣言、2021年現在も東南アジア、中東、アフリカなど世界各地の支部がテロ活動継続中、欧米でも「イスラム国」に触発されたテロが散発。

6

娘と親友と
サラフィー運転手

娘と親友のファリーダ。

99％の女性がセクハラ被害にあう国

２０１１年夏にエジプトに住み始めたとき、娘はまだ一歳を迎えたばかりでした。「アラブの春」でムバラク政権が退陣に追い込まれてまもなくの頃です。はじめて娘を連れて歩いたカイロの街中は、これまで一人、あるいは友人たちと歩いた時とは全く違う印象を受けました。

道ゆく人の目が全て娘に注がれ、私が娘を連れて歩いているというよりは、私の方が娘に連れられて歩いているような、そんな感覚でした。

エジプト人は非常に子供好きです。

一方で子供に対する搾取や暴力、犯罪が多かったり、ストリート・チルドレンが町中に溢れていたり、単純に「エジプト人は子供好き」というだけでは説明のつかない問題が多くあるのも事実です。しかしそれはそれとして、アラブ慣れしているはずの私が娘を連れているだけで世界が一変して見えるほど、彼らの我が娘のもてはやし方は露骨でした。

アラブ・イスラム諸国は世界的にもセクハラが多いことで知られています。2013年UNウィメンが発表した調査では、エジプト人女性の99・3％がセクハラ被害にあったと回答しています。この数値は私がエジプトにいる時に発表されたので、地元メディアも「これはさすがに酷すぎる」と大きく取り上げたのをよく覚えています。

日本には性犯罪被害にあった女性に対し、「男の欲情を煽るような格好をしていた女が悪い」あるいは「女も悪い」といった非難を浴びせる不届き者がいますが、あれは完全な間違いです。エジプトを含むアラブ世界の女性は概して、極めて保守的な格好をしています。真夏でも腕や脚を露出させる女性はほとんどいません。髪と首元もヒジャーブで覆っている人がほとんどです。しかし目元以外の全身すべてを黒布で覆い隠していようとも、お尻を触られたり、卑猥な言葉を投げつけられたりするのがアラブ世界です。エジプト女性のほぼ全員がセクハラ被害を受けたことがあるという調査結果が、その実態を証明しています。

私のように一見して外国人だと判別できる女の場合、その頻度はさらに高まります。ところが幼い子供の手を引く私には、誰一人卑猥な言葉を投げかけてきません。これにはたいへん驚きました。

私は大学院の博士課程の一年目、1999年の春にモロッコに留学しました。

当時在籍していた東京大学が、テトゥアンというモロッコ北部の街にある大学と提携しており、そこに籍をおくことを条件に文科省の奨学金を得ました。

テトゥアンが過密すぎるため、近郊にあるマルティールという小さな街の地中海岸にあるフラットの一室を借りて一人で住んでいたのですが、ここで体験したセクハラは相当なものでした。

セクハラに限らず、とにかく私に向けられる人々の情け容赦のない視線、興味関心がすさまじいことに辟易しました。

この街には私しか日本人……というかアジア人がいなかったので、みなが一様に、珍獣を見るかの如く、食い入るように私を見つめるのです。何人に一人かは必ず「中国人女！」とか「ジャッキー・チェン！」などとヤジを飛ばしてきます。悪気があるとかないとかいう問題でもなく、彼らはアジア系の人間に対し「中国人！」とはやし立てることを、「失礼」とか「差別」とか「悪いこと」とは全く考えていないので、反射的に言っているようなところもあります。バカにしているのは間違いないのですが、このレベルで腹を立てるようではここでは暮らせません。

子供の集団が「ジャッキー・チェン！」と言ってわいわい寄ってくると、こちらに余裕がある時には「やるか?!」とか「来るなら来い！」と言って構えてやるのですが、そうすると子供がものすごく喜び、調子に乗ってジャレついてきます。疲れていたり嫌なことがあったりしてこちらに余裕がない時には、「うるさい、黙れ！」とか「ジャッキー・チェンは日本人じゃないぞ、バカ！」と私も悪態をつくのですが、それでも子供たちは「へぇ。ジャッキー・チェンは日本人じゃないんだって！」と言って喜んだりします。さらに重ねて「中国人女！」と言ってきたりするので、たちが悪いのです。しばらくたつと、街の子供たちとも互いにだいぶ見知ってきたのですが、それでもヤジはやめません。私がそれなりに反応するのもあり、彼らにとっては私にヤジを飛ばしちょっとしたやりとりをするのが、一種のエンターテインメントと化しているようでした。

モロッコでは留学生仲間の中にイタリア人男性とスペイン人女性がいたのですが、彼ら二人は子供たちによく石を投げられるので危ないと言って怒ったり、怖がったりしていました。イスラム教徒の子供は近代以前の時代から、異教徒に石を投げつけて遊んでいたことが知られています。かつてイスラム教の統治下に暮らす異教徒はズィンミーという二級市民の地位に置かれ、彼らは馬鹿にされ蔑まれるべき存在と規定されていたので、子供たちも面白がって石を投げつけていたのです。

しかもそれはすでに過ぎ去った「歴史的事象」ではなく、現代のイスラム世界でも続いています。彼らは異教徒に石を投げることも、ヤジを飛ばすのと同じように、「悪いこと」だとは思っていません。誰からもそう教わっていないからです。「異教徒に石を投げてはいけない」とか「異教徒にヤジを飛ばしてはいけない」という価値観が、そもそもないのですから仕方ありません。

私は幸運なことに……というかおそらく彼らから見ると「異教徒」というカテゴリー外だったために、子供に石を投げられたことはありません。しかし「売春婦！」と言ってきたり、近寄ってきて耳元で「いくらか？」と囁いてきたりする男たちには悩まされました。

これは相当気持ち悪いですし、腹も立つので、最初の頃は睨みつけたり、「恥知らず！」「あっち行け、この変態！」と言い返したりしていたのですが、こうすると相手がかえって「おい！この中国人女は、アラビア語をしゃべるぞ！」と喜んで仲間を集めてきたりして逆効果だということが徐々にわかってきました。ここでさらに「中国人じゃなくて日本人だ！」などと私が言おうものなら、相手側はさらに盛り上がります。とにかく、こちらが何か言えば言うほど面倒が増えるので、何も聞こえないかのように振る舞い、表情一つ変えず無視して歩き去る、というように作戦変更しました。

恐ろしいのはストーカーです。「いくらか？」「かわいいな」などと声をかけ、こちらが無視してもどこまでもどこまでもついてくる類です。これは本当に恐ろしい。絶対に自宅を知られてはならないと考えていたので、迂回してカフェや雑貨屋に逃げ込み、店員に事情を説明してストーカーを撃退してもらったことが何度もあります。

さらに恐ろしいのは突然手を引っ張ってどこかに連れて行こうとしたり、急に抱きついてきたりする男です。あまりの恐怖に息が止まり、声など全く出ない状態になります。幸い私は誰も人のいないところでこのような目にあったことがなく、いつも誰かが助けてくれたので大きな被害にあうことはありませんでしたが、あの恐怖は今も脳裏に焼きついています。

私は2011年から4年間エジプトに住みましたが、それ以前にも数度エジプトを訪問したことがありました。その時のセクハラやヤジの「被害状況」も、モロッコで生活していた時のこうした状況と類似していました。

セクハラの嵐から状況が一変

ところが娘と一緒だと、周りの反応が一変したのです。

周囲の人々は誰一人、私には目もくれません。あれだけ鬱陶しく感じていた人々の視線は、一斉に我が子に注がれています。顔のまん丸い東洋人の小さな女の子がよほど珍しいのか、あちこちから人が集まってきて少し遠巻きに娘を眺めたり、一緒に写真を撮りたいと言ってきたりします。

娘も自分の「人気」を自覚してか、まんざらでもなさそうで、見知らぬエジプト人に抱き上げられてもニコニコとしています。

そうか、日本の小さい子はここでは「アイドル」なのだ、その前には私の悩みだったセクハラ問題など吹き飛んでしまうのだ、とこの時初めて認識しました。

ただ一人の我が子である娘は、私の宝です。

夫の仕事が忙しく、それまで私は一人で娘を守り育てることに必死でしたが、この時、「なんだ、私だって娘に守ってもらっているではないか」と拍子抜けしたような気持ちにもなりました。

娘を連れて近所に買い物に出ると、おまけの嵐です。行きつけの果物屋さんは毎回のように「食べな」と言って娘にバナナを手渡し、パン屋さんはチョコレート入りのパンやマフィンをくれます。シーフード屋さんは娘が前を通るとエビやイカのフライを手渡してくれます。暑い日に歩いていると、なぜかサッとペットボトルの水を差し出されたこともありました。サービス満点です。

誰一人、私からお金を受け取ろうとはしません。もらったものをニコニコしながらぱくぱく食べる娘をみて、同じようにニコニコするだけです。

この子供に優しいおじさんたちが、何かの拍子に急に殴り合いを始めたりするのがエジプトなので全く気は抜けないのですが、とにもかくにも、私がここの暮らしにすっと馴染むことができたのは間違いなく娘のおかげでした。

この話をエジプト人にすると多くの場合、それは外国人に「エジプト人はいい人だ」と思われたいからだ、と言われます。確かにそれはありそうです。

ユニセフが2019年に公開した中東・北アフリカ諸国における子供に対する「暴力的しつけ」についてのリポートによると、エジプトでは2歳から14歳までの子供の90％以上が親からひどい体罰や精神的虐待を受けているとされています。自分の子供を「正しいイスラム教徒」として育てる責任を負うのは親である、というのがイスラム教の教義です。彼らは子供が道を外れたら、子供だけではなく自分自身も地獄に行くと信じています。自分の子供に厳しくあたる背景には、イスラム教の教義があるのです。

一方、他人の子供にはそういった責任感が伴うことはありません。一人歩きする日本人女性に「中国人女！」とヤジを飛ばすのと同じ感覚で、目の前を通る日本人の子供に本能的に惹きつけられるようです。何とかして関わりたい、という「意欲」あるいは「やる気」すら感じられます。しかしどのような理由、動機であれ、彼らの「外国人の子供好き」は私にとってありがたいものでした。

娘はなんとなく日本語らしきものを話し始めたタイミングで、アラビア語と英語をシャワーのように浴び続けるエジプト生活に突入したため、ほどなく自然と日本語、アラビア語、英語の三カ国語を使うトライリンガルになりました。

特にアラビア語……というか、アラビア語エジプト方言（通称エジプト語）のうまさは抜群でした。

アラビア語には日本語にはない音がいくつもあります。

私は大学で初めてアラビア語を学んだため、当初はそれらの音を耳で識別するにも、自分で発音するにも苦労しました。「やる気のないハ」と「やる気のあるハ」と「濁ったハ」を区別したり、「軽いタ」と「重いタ」、「軽いダ」と「重いダ」を言い分けたりするのは、非アラブ人にとっては大変難しいのです。

ところが一歳からアラビア語シャワーを浴び始めた娘は、耳で聞いたそのままの音を発音するので、そのような苦労とは無縁でした。そしてその発音は親の私から見ても実に完璧で、大変な苦労をしてそれを身につけた私にとっては羨ましいほどでした。

アラビア語を話す娘の様子を見たエジプト人の全てが、「エジプト人としか思えない」「というかエジプト人よりアラビア語が上手い」と舌を巻きました。「日本人とは信じがたい」「顔を見なかったら誰もがエジプト人だと錯覚する」とも言われました。発音も言い回しも、話しながら自然と飛び出す身振り手振りも、全てが完璧な「和製エジプト人」でした。

娘がこれほどアラビア語に熟達したのは、身の回りに常にいた数人のエジプト人のおかげなのですが、中でも彼女と仲が良かったのがうちの運転手です。

うちの運転手はサラフィー

うちの運転手はかなり敬虔で厳格なイスラム教徒、いわゆるサラフィーでした。サラフィーは外見が命です。なぜなら、人は基本的に外見によって、その人がサラフィーであるか否かを判断するからです。サラフィーなのに外見でサラフィーではないと判断されたら、それは「負け」です。だからサラフィーは外見にこだわるのです。

サラフィーであることを判断する指標としては、男性の場合、何よりも大切なのは手で掴めるくらい長いあごヒゲです。そしてズボンは膝下で、かつくるぶしが見える丈でなければなりません。おでこに黒ずんだ「お祈りダコ」があれば完璧です。なぜならそれは、日々熱心に礼拝をしている証だからです。うちの運転手は外見上のこうした「基準」を満たす、完璧なサラフィーでした。

ところで私は、お祈りダコのある女性を見たことがありません。私はモロッコでイスラム教の礼拝の特訓を受けたので礼拝をすることができますが、確かにおでこを地面（実際は地面の上に敷いたお祈りマット）につける所作はあるものの、いくら一日に五回礼拝をしても、あれほどはっきりとタコができるようなことにはならない、という確信があります。礼拝のたびに、よほど意図的におでこを地面に擦り付けでもしない限り、お祈りダコなどできないのではないか……と常々疑問に思ってはいたのですが、勇気がなくて、未だにお祈りダコのある男性に直接聞いたことはありません。

軽い調子で女性に聞くとみな、「いつもグリグリやってんのよ」などと答えます。そこには少しばかり、「アホくさ」という嘲笑のニュアンスが感じ取れます。礼拝は純粋な信仰行為なので、お祈りダコを作り「あの人は敬虔なイスラム教徒だ」と人に見られるために「おでこグリグリ」をやっているとしたら本末転倒だ、と言いたい女性たちの気持ちはよくわかります。

くっきりしたお祈りダコもあるうちの運転手は、周囲の人々から尊敬の念を込めて「シャイフ（師）」と呼ばれていました。メッカ巡礼から戻ってからは「ハーッジ（巡礼者）」とも呼ばれていました。

一方で彼は、異教徒である日本人に雇われ、日本人から給与を得ていました。イスラム教の教義では、不信仰者たる異教徒と親しくすることは禁じられ、また禁じられたハラーム（違法）な手段で稼いだ金はハラームな金である、ともされています。

あるとき彼と何かの件で口論している際、つい意地悪な気持ちが湧いてきて、あなたはサラフィーでありながら不信仰者に雇われ給与をもらっていることに矛盾を感じないのかと尋ねてしまったことがあります。すると彼はさっと顔色を変え、「今度シャイフ（自分の師）に聞いてくる」とそわそわした様子で答えました。そして後日、「どんな労働であっても労働はすべてハラール（合法）なので、あらゆる労働から得られる給与はハラールだ、とシャイフが言っていた」と、晴れやかな顔で教えてくれました。シャイフ、ナイス回答です。

イスラム教徒の多くは、自分の日常生活の細部についてまで「ハラール（合法）かハラーム（違法）か」などと考えることなく生活しています。なぜならイスラム教の論理に従うと、あらゆるものごとや行為についてハラームかもしれないと疑い始める「ハラーム地獄」に堕ちたら最後、「イスラム国」に行くとかジハードするしかなくなってしまうからです。

しかし実際には、そこには様々な言い訳や自制心、家族への思いや、現行の社会制度や、いろいろなものが機能していて、それらが彼らを現世的なものにつなぎとめ、そうした「ハラーム地獄」に堕ちるのを引き止めています。だから私のしたような意地悪な質問は、本来すべきではないのです。保たれている微妙なバランスは、いつどんなタイミングで崩壊するかわかりません。

私はこの運転手とはかなり頻繁に口論し、ある意味で緊張関係にありましたが、基本的なところでは彼を信用していました。なぜかというと、娘が彼に非常に懐き、彼も娘を本当に可愛がってくれていたからです。また私は、彼が自分の家族に対して大きな責任を感じていることも知っていたので、それも彼が滅多なことはするまい、という信頼に繋がっていました。運転手というのは自分と家族の命を預ける存在です。信頼できない人に自分と家族の命を預けることはできません。

一方彼の方でも、日本人でイスラム教徒でもないのにやけに『コーラン』やイスラム法の規定に詳しく、アラビア語で議論のできる私にはある種の敬意を示していました。うかつな行動、発言をすると私にツッコミを入れられる、という緊張感もあったと思います。

宗教の異なる者同士の関わり合いにおいて重要なのは、互いへの信頼と敬意です。「みんなオンナジ人間」「話せばわかる」といったスタンスに普遍性はないというのは中東では歴然としていますし、実際その有効性はかなり限定的であるというのが私の経験です。感覚や馴れ合いでどうにかならない相手だからこそ、うまくやってくためには頭を働かせることが大切だと私は考えています。

サラフィー家庭でのお泊り体験

ただ子供の場合は話が違ってきます。

車に乗るとき娘はなぜかいつも助手席に座りたがり、運転している彼と楽しそうにおしゃべりをしていました。彼も娘には心を許しているようで、二人はふつうに「仲良し」でした。まだ幼かった娘は年長者に対する口の聞き方というものを身につけていなかったので、彼のことを名前で呼び捨てにし、いかにも対等であるかのように振る舞っていましたが、彼はその遠慮のなさを面白がっていました。

私が仕事で忙しい時などは、彼が娘と一緒に遊んだり、テレビや YouTube を見てくれたりしたので、非常に助かりました。毎年、娘の誕生日には特大のケーキとプレゼントを買ってきてくれました。写真を撮るときには娘と並んでピースサインをする、お茶目なところもありました。娘と戯れる彼の様子は、完全に「孫とおじいちゃん」のそれでした。

あるとき彼が娘について、どうしても自分の家族に彼女を会わせたいので、自宅に連れて行ってもいいだろうかと聞いてきました。

自宅で頻繁に娘の話をしているうちに、エジプト人よりアラビア語がうまい日本人の子供なんて本当にいるのか、いるなら会わせろ、ということになったのだということでした。家長としての面目を保つためにも是非彼女を家族に会わせたいのだ、といつになく熱心に思いを語りました。

彼のことは信頼してはいます。しかし娘を連れて行かせるというのは大変な決断です。それにどうやらこのお誘いは、一晩うちに泊まっていけ、という主旨のようでした。

当時4歳だった娘は家でも私が隣にいないと寝つけない甘えん坊で、私なしで「お泊まり」をしたことも当然ありませんでした。そもそも町中にこれだけ警官がいるのだから、明らかに見た目がサラフィーなエジプト人が日本人の子供を車に乗せていたら怪しまれて止められるのではないか——。

そんな懸念を伝えると、彼は「彼女はアラビア語がしゃべれるから大丈夫。それにうちには子供が3人いるから何も問題ない。大丈夫」と、本当に何ひとつ問題はないと思っているようでした。

私一人で悩んでいても埒が明かないので娘に聞いてみると、「行きたい！」と即断。「でもママ一緒じゃないよ、ママいないと眠れないんじゃないの？」と言っても、「大丈夫！　行きたい！」と不安ゼロの様子。

娘は私が「やる？」と聞いたことに対し「やらない」と言ったことが一度もない子で、私もその積極性を大いに評価していました。娘が「やりたい」と言ったことについても、死の危険がないものに関しては基本的には何でもやらせてきました。自分の背の数倍の高さのある「うんてい」によじ登り、すいすい渡っていくような子です。今回に限り娘が「やりたい」といったことに対し私が「やるな」と言うのもおかしいな、と思い始めました。

奇妙なもので、こういう場面になると普段使いもしないことわざを急に思い出したりします。そう、「かわいい子には旅をさせよ」です。

娘がこれから歩む人生は、決して平坦な道のりではあるまい。4歳にしてエジプト人サラフィー家庭でのお泊まりを体験するというのは、彼女の将来にとって必ずやプラスとなることだろう。なにより本人が行きたいと言っているのだ。行かせればいいではないか――。

そんなふうに考え、夫とも相談し、行かせてみることにしました。

着替えと歯ブラシとお気に入りのぬいぐるみの入ったバックパックを背負い、娘は「行ってきまーす！」と意気揚々と出かけていきました。サラフィーに手を引かれ立ち去る娘の小さな背中には、彼女のやる気やら好奇心やらが漲っているようでした。

翌日。

運転手に連れられお菓子やらおもちゃやらをたくさん手にして帰宅した娘は、なんだか自信たっぷりの顔をしていました。彼の家族に歓迎され、子供たちにもたくさん遊んでもらったようで、「楽しかった！」と言っていました。

警察に止められることもなく、眠れなくて困ることもなく、何の問題もなかったようです。懸念が杞憂のままに終わり、ほっとしました。

子供というのは、親の見ていないところで、自分の人生を切り拓いていく強さや逞しさを自ら少しずつ獲得していくものなのでしょう。初めてのお泊まりをエジプト人サラフィー家庭で難なくこなした娘を、私は誇らしく思いました。

ファリーダとの出会い

運転手とともに娘にとって大切な友達だったのが、ファリーダというエジプト人の女の子です。

ファリーダとは3歳になってから通い始めたブリティッシュ・スクールで出会いました。娘はスクールバスで学校に通っていたので、私は当初、彼女を見たことがありませんでしたが、娘が家でよく彼女の話をしていたので仲良しなのだなとは思っていました。ある日娘が、彼女のお母さんの電話番号の書かれた紙を持ち帰ってきました。学校が終わった後、一緒に遊びたいので電話をしてほしいとのことでした。

折りを見て電話をすると、感じのいいお母さんが出ました。ファリーダはエジプト人にしては珍しく一人っ子で、お母さんが仕事をしているので、主におばあちゃんに面倒をみてもらっている、といった事情がわかりました。

彼女の家は我が家とは別の地区にあったので、放課後に遊ぶ際には、娘と同じスクールバスに乗ってうちまでやってきて、私が二人をピックアップし、しばらく遊んだあと夕食を食べさせ、車で彼女の家まで送りました。

ファリーダはモロヘイヤが好きだというので、夕食は毎回モロヘイヤにしていました。日本でも売られているモロヘイヤの原産地は北アフリカで、モロヘイヤという日本での呼び名はエジプトでの呼び名に由来しています。だからエジプトでも、モロヘイヤはモロヘイヤです。

エジプトでモロヘイヤというと、モロヘイヤの葉を細かく切り刻み、鶏やウサギのスープで煮込んだ真緑色のトロトロのスープを指し、それをご飯にかけて食べます。エジプト人は刃の両側に持ち手のついた特殊な包丁を使い、膨大な時間をかけてひたすら細かくモロヘイヤを刻んでいくのですが、私は面倒なのでフードプロセッサーを使っていました。またエジプト人はモロヘイヤを作る際にとてつもなく大量のサムナ（澄ましバター）を使うのですが、私は脂っぽすぎるのが嫌なので、いつもオリーブオイルとバターを少しだけ使って作っていました。自分で言うのもなんですが、私のモロヘイヤはうちの運転手をはじめとするエジプト人にも大好評で、ファリーダも娘もよく食べてくれました。

エジプト人は食に関して非常に保守的です。エジプト人に料理を出すときには、妙に工夫をしたり、奇をてらったりすることなく、基本に忠実なのが一番です。

日本では近年急速にハラール（合法）という言葉が一般的になり、「イスラム教徒はハラール認証を受けたものしか食べられない」という認識が広まっていますが、これは間違っています。イスラム教徒は確かにハラールな飲食物を口にしなければなりませんが、だからといって誰か、あるいはどこかの組織による「ハラール認証」を求めているわけではありません。実態は逆です。彼らは「ハラール認証」を受けたものしか食べてはいけないのではなく、神によってハラーム（違法）だとされたもの以外は全て食べていいのです。

私はこれまで色々なところでイスラム教徒に自分の作った料理を食べてもらう機会がありましたが、一度たりとも「これはハラール認証されているのか？」などと聞かれたことがないどころか、「ハラールか？」と聞かれたこともありません。「ハラール認証されたものを出して欲しい」とか「ハラールのものを出して欲しい」と要請されたこともありません。

エジプトの場合、存在するもののほとんどがハラールなので、そんなことを気にして生きているイスラム教徒はほとんどいません。またエジプトでもモロッコでも日本でも、うちにきて私の料理を食べるようなイスラム教徒は、おそらく私がハラーム（違法）なものを出したりはしないだろうと信用しているので、そういったことは言わないのだと思います。

食べ物を含め、いつであれどこであっても、他所様の子供を預かって遊ばせるというのはなかなかの重責です。安全を保ち、無事に送り届けなければなりません。外国人の子供となると尚更です。

しかしそれは私にとっては「プレッシャー案件」であっても、娘にとっては楽しみでしかありません。外国人も何も関係なく仲良しの友達だから一緒に遊びたいという、ただそれだけのことです。私にできるのはその環境を作ってあげることだけです。

ベスト・フレンド・フォーエバー

5歳になりブリティッシュ・スクールの就学前コースを終えた時点で娘は日本に帰国し、ファリーダはそのまま系列の小学校に進学しました。

それから約1年後、ファリーダのお母さんから「うちの娘が学校で書いたのよ」と絵本の写真が送られてきました。『二人の親友』というタイトルで、英語で次のように書かれていました。


あるところにファリーダという名前の女の子が住んでいました。

彼女には親友がいました。

その子は日本からやってきた日本人でした。

二人は毎日学校で会い、とても楽しい時間を一緒に過ごしていました。

二人はどこへでも一緒に行きました。

二人はスポーツクラブで遊ぶのが好きで、公園のブランコや滑り台で遊ぶのも好きでした。

二人は毎日アイスクリームを食べました。

ファリーダのお気に入りはチョコレート・アイスで、親友のお気に入りはバニラ・アイスでした。

ある日、親友はお父さんの仕事の都合で日本に帰らなくてはいけないことになりました。

二人はとても悲しくなりました。

もう一緒にいられなくなってしまうからです。

二人はずっと親友でいようね、毎日電話で話そうね、と約束しました。


この本文に続いて、「著者について」というページには次のようにあります。

ファリーダはブリティッシュ・スクールに通う6歳の女の子です。彼女はおもちゃで遊ぶのが好きで、水泳とバレエのレッスンも好きです。おばあちゃんと料理をするのも好きです。ファリーダは賢くて感じのいい女の子です。彼女にはたくさんの友達がいますが、彼女の親友は今でも日本人のあの子です。

エジプトから帰国後、私たちは2年間ほど日本に住み、娘にも日本人の友達ができました。あれほど達者だったアラビア語も英語もすっかり忘れ、そのかわりに日本語を話すようになりました。

その後、今度はタイに住むことになり、娘には新しい学校でタイ人や他の国の友達ができました。

それでも「親友は誰?」と聞くと、今でもファリーダだと答えます。

小学校も高学年になると、子供たちは友達関係でも難しい時代に差し掛かります。仲良しの奪い合い、嫉妬、陰口、喧嘩、いじめなど、学校でも小さな問題は絶えません。ところがファリーダと娘の場合は二人きりの関係で、物理的に離れているかわりに、二人の間を邪魔する人間もいません。なにか特別な親密さがそこにはあるようです。

2020年のコロナウイルスのパンデミック時には、私たちの住むタイでも、ファリーダの住むエジプトでもロックダウン措置がとられ学校が閉鎖となったため、二人はこれ幸いとばかりに延々と電話でしゃべったり、一緒にオンラインゲームで遊んだりしていました。

ロックダウン中、私たちは早朝に近所にある小さな祠までジョギングしていましたが、娘はいつもその神様に「コロナがなくなってもロックダウンが続きますように」とお祈りしていました。登校が再開されると、これまでのようにファリーダと長い間電話することができなくなるからです。

パンデミックの際はずっと家に閉じこもらなければならなかったにもかかわらず、娘が常に元気いっぱいでご機嫌だったのは、ファリーダのおかげだったところが大きいと思います。ファリーダのほうも、エジプトの学校や友達の愚痴を娘に言ったり、ちょうど始まったラマダンの断食のつらさを娘とのくだらないおしゃべりで紛らわせたりしていたようです。

娘は「ＢＦＦ（Best Friend Forever）はファリーダだ」と言います。日本語の「親友」という語には、ＢＦＦの最後のForever の意味が含まれていないのが不満なのだそうです。

娘に「永遠の親友」と呼べるようなエジプト人の友達ができた——。

それだけでも、私たちのエジプト生活は有意義だったのかな、と思うことができそうです。

2

ピラミッドを破壊せよ

ピラミッドを破壊しなければならないと熱く語るムルガーン師。

偶像は破壊しなければならない

「ピラミッドとスフィンクスを破壊しなければならない」

2012年11月、エジプト民放テレビ局ドリームTVに出演してこう語り、世界に衝撃を与えた人がいます。

ムルガーン・サーリムという名のエジプト人イスラム教指導者です。

彼は全世界のイスラム化をめざし、そのためのジハード（神の敵との戦い、聖戦）を推進する武装闘争派のイスラム主義者、いわゆるジハード主義者です。イスラム法学者でもあるため、エジプトではムルガーン師と呼ばれていました。

番組の中でムルガーン師は、自分はタリバンによるバーミヤンの仏像爆破にも関わったと得意げに語り、「エジプトで我々が実権を握った暁には、必ずやピラミッドとスフィンクスを破壊する」と力強く宣言しました。彼はその理由について、あらゆる偶像は世界にたった一人でもそれを崇拝している人間がいるならば、あるいは過去に一度でも崇拝の対象とされたならば破壊しなければならないというのがイスラム法の規範だからだ、と説明しました。

この発言は共演者たちを絶句させただけでなく、日本を含む世界中のメディアで報じられ多くの人々を驚愕させました。エジプト治安当局はこの発言を深刻に受け止め、翌日からピラミッド・エリアの警備を強化しました。

実は私はムルガーン師がこの発言で世界的に有名になる半年ほど前、彼にインタビューをしていました。当時のエジプトを象徴する極めて興味深い人物だと思ったからです。

この頃のエジプトは「アラブの春」と呼ばれる「革命」から一年以上を経てなお、混乱の最中にありました。

日本の外務省は公式ホームページで「アラブの春」について、「2011年初頭から中東・北アフリカ地域の各国で本格化した一連の民主化運動」と定義しています。しかしこれはある種の「勘違い」です。

チュニジアで始まった反政府抗議活動はエジプトにも伝播し、30年にわたって続いたムバラク政権は2011年2月、退陣に追い込まれました。民衆が自主的に始めた抗議デモにより長期独裁政権が打倒されたのだからエジプトも民主化するに違いない、という期待が広まりました。民衆自身が民主化を求めると言っていたので、外国メディアもそれを見た人々も、中東のイスラム教徒も西洋近代的な民主化や自由を求めているのだと文字通り理解したのですが、実はそれが勘違いの源でした。

なぜなら彼らの求める「民主化」や「自由」は、私たちが通常思い浮かべる西洋近代的なそれとはかなりズレた概念だからです。

ムバラク政権打倒を訴えていた人々は確かに、「我々は民主化を求める！」「我々は自由を求める！」と叫んでいました。しかしエジプト人の約9割はイスラム教徒です。イスラム教徒は基本的に、人間に主権があるとする民主主義や個人の自由を尊重する西洋的リベラリズムを最高原理と考えることはありません。それは「神のみが主権者である」というイスラム教の教義に矛盾するからです。

アメリカの政治学者フランシス・フクヤマは冷戦終結に際し『歴史の終わり』において、人間の政府の最終形態はリベラル・デモクラシー（自由民主主義）であり、それをもって人類発展の歴史は終わるのだと論じました。彼は歴史を世界がリベラル・デモクラシーへと収斂する過程ととらえ、イスラム世界も例外ではないと断言しました。

フランスの歴史人口学者エマニュエル・トッドは『文明の接近』で、男女の識字率が上がると出生率は低下し、人々は宗教をあくまでも個人の心の問題と認識するようになって社会は世俗化・民主化する、イスラム圏は現在「人口学的・文化的・心性的革命」期にあるが、これを経て必ず近代化へと向かう、なぜならそれが「世界歴史の集合点」だからだと論じました。

リベラルな知識人たちが提示してきたこうした「人類発展の普遍モデル」について、私は以前から懐疑的でした。それはやはり西洋的な傲りであり欺瞞に過ぎないと確信したのは、「アラブの春」後のエジプトを経験してからのことです。リベラルな知識人・メディアの予想に反し、「アラブの春」は中東イスラム世界におけるリベラル・デモクラシーの勝利には帰結しませんでした。

イスラム的自由と西洋的自由

イスラム教徒にとって、この世を生きる上での根源的な秩序原理はイスラム教という宗教です。彼らの多くは民主化や自由を肯定的にとらえます。しかし彼らにとって重要な「民主化」や「自由」とは、イスラム教を正しく信仰するための「民主化」であり「自由」です。彼らはイスラム教信仰を阻害するような独裁的統治体制を嫌悪すると同時に、イスラム教が禁じることまで許容する民主主義やリベラリズムも嫌悪します。

イスラム教徒は神の法にのみ従わなければならないと、イスラム教徒は信じています。民主化を肯定するイスラム教徒は、民主主義は西洋の発明などではなく、神の法の中に民主主義はすでに内在しているのだと理解しています。

また彼らは、許容されるべき自由の範囲を規定するのは人間の理性ではなく神であると信じています。彼らにとっての自由、すなわち「イスラム的自由」は、同じく自由という言葉を用いてはいても、リベラリズムの想定する自由とは全く異なります。

自由や民主主義という私たちに馴染み深い概念を語っているからといって、彼らの語る自由や民主主義が私たちにとっての自由や民主主義と同じものだと安易に理解してはならないのです。

西洋近代型の自由民主主義こそ全人類が目指すべき普遍モデルであるという主張は、別の普遍モデルが存在する可能性を完全に否定しているという点において独善的です。またイスラム世界に対してもそれが普遍モデルであると教え込まなければならないと主張する点において、傲慢かつ押し付けがましくもあります。

神の示したイスラム教こそが唯一の真理であると信じるイスラム教徒にとってそれは、首をひねるしかない荒唐無稽な主張です。神の被造物にすぎない人間が、神の真理を凌駕する普遍モデルなど提示できるはずがないからです。

リベラルな知識人・メディアは、イスラム教徒には「もうひとつの普遍」があるという現実からも、時代が下り識字率が上昇しているにもかかわらずイスラム世界においてイスラム教の果たす役割が政治的にも、社会的にも強まりつつあるという現実からも目を背けています。

それは長くイスラム教を研究し、イスラム教徒の中で暮らしてきた私には、耐えがたい偽善に映ります。

「アラブの春」を経たエジプトでかつてない「自由」を享受したのが、ムルガーン師のようなジハード主義者でした。

ムバラク時代、武装蜂起による政権打倒を目論むジハード主義者は片っ端から捕らえられて投獄されるか、あるいはアフガニスタンやチェチェンなど外国に逃れそこでジハードを戦いました。「アラブの春」後、投獄されていたジハード主義者のほとんどは適当な理由で釈放され、あるいは混乱に乗じて脱獄し、外国でジハードを戦っていた人々の多くが統治の緩みに乗じて帰国しました。当局の発表によると、２０１１年1月から2月にかけて脱獄した囚人は2万人を超えます。

１９９9年から投獄されていたムルガーン師も、そうしたジハード主義者の一人です。彼は２０１２年2月に「健康上の理由」で釈放され、晴れて自由の身となりました。

私が彼を初めて知ったのは、釈放後まもなく、彼が仲間と共にアルカイダの黒旗を掲げてカイロ中心部にあるタハリール広場を練り歩き、演説を行った時のことです。

「アラブの春」の時、老若男女が集い民主化と独裁政権打倒を訴え「革命の聖地」とされていたタハリール広場に、ジハードを呼びかける人物が現れたのです。大衆に向け堂々とジハードを訴えても拘束されない、「イスラム的自由」の息吹を感じました。

ムルガーン師はまさにその「イスラム的自由」の象徴と呼ぶにふさわしい人物です。会ってみたいと思いました。

「お前はアウラだ」

意外なことに、インタビューの申し入れはあっさり受け入れられました。

指定された場所は、カイロ郊外のひと気のない建物の一室でした。壁の一部が崩れていたり、配線がむき出しだったり、一見すると廃墟のような建物でしたが、エジプトでは建物の修繕管理というのをほとんど行わないため、人々はこのような建物に住むのが一般的です。私が住んでいたのも、家賃だけはバカ高い、ガタガタでボロボロの建物でした。

2012年5月、指定された部屋を訪れると、ラルフローレンのシャツにジーンズを身につけたセレブ風の青年が応対し、私をチラッと見てから奥の部屋に引っ込みました。再び現れた彼に、「ムルガーン師は髪を覆い隠していない女と同室することはできない」と言われたため、急遽スカーフを調達して頭にかぶりました。

しかしそんな応急処置では全く不十分でした。

現れたムルガーン師は私を一瞥するなりいきなり、「お前はアウラだ」と言い放ったのです。そしてインタビューを受けてもいいが、その間ずっと男のカメラマンの後ろに完全に隠れ、視線を下に落とし、自分とは決して目を合わせてはならない、と命じました。けんもほろろです。

アウラというのはアラビア語で、「隠さねばならない恥部」という意味です。もしかしたらムルガーン師は、私がその意味を理解できるとは想定していなかったかもしれません。しかしイスラム法学を学んだ私には、残念なほどはっきりと彼の言葉の主旨を理解することができます。

『コーラン』第24章31節には「それから女の信者たちに言うがいい。慎み深く視線を下げ、陰部（フルージュ）を守れ。外部に出ている部分はしかたがないが、美しいところを目立たせるな。胸には蔽いをかぶせよ」とあります。

陰部も胸も髪も、隠さなければならないとされる部分は全てアウラです。「お前はアウラだ」というのは、「お前は全身が恥部だ」という意味です。

お前は恥ずかしい存在なので、本来は基本的に家の中に留まり男の目に触れないようにしなければならない、今日は特別に許してやるが、お前は私を誘惑する悪魔なので、私と決して目を合わせてはならない――。そういう主旨です。

「女は全身が恥部」だと信じるイスラム教徒男性は少なくありません。恥部は布で覆い隠さねばならないというのがイスラム法の規定であり、それを露出させることは罪とされます。人間のどの部分が恥部にあたるかについては異論があり、それによって服装も変わってきます。全身を黒布で覆い隠す服装をしているイスラム教徒女性は、本人、あるいは父や夫が「女は全身が恥部」説をとっているか、あるいは社会においてその考えが強いか、あるいは国がその考えのもとに服装を強制しているかのいずれかです。

他方、前出の『コーラン』第24章31節に「美しいところを目立たせるな」とあることに立脚し、イスラム教徒女性がヒジャーブで頭髪を覆ったり、布で全身を覆い隠したりするのは「美しさ」を隠すためであり、それは「慎ましさ」の証であると主張されることもあります。

女は全身を覆い隠せと主張する人は、「女性は恥部だから隠さなければならない」という言説と、「美しいからこそ隠さなければならない」という言説を使い分けます。彼らは外国人の非イスラム教徒に対してその必要性を説明する際には、後者を採用します。どのような露出も許容するリベラルな価値観に馴染みのある先進国の人間の心に、「女性は美しいからこそそれを守るために隠さねばならないのだ」という主張が響くことをよく知っているからです。

しかし現実はそれほど美しくはありません。

イスラム法のルールは顕著に家父長制的であり、それに立脚しているイスラム社会も同様です。イスラム社会や社会を支配してきた男性たちは、女性の美しさ、尊厳、名誉を守るという建前上の理由によって、女性へのヒジャーブ、ニカーブの着用や女性の隔離といった女性差別を正当化しているという批判の声は、多くの研究者やイスラム教徒フェミニストからあがっています。しかし日本や欧米のリベラルなフェミニストは、イスラム教には独自の守るべき文化があるのだという文化相対主義を掲げ、イスラム世界の女性差別を問題視しないどころか、むしろそれを賛美します。

ムルガーン師はイスラム最初期の三世代（サラフ）を理想とし、彼らのやり方に従わなければならないと信じるサラフィーを自称しています。サラフィーは概ね「女は全身が恥部」説をとります。例えばエジプトのサラフィーでイスラム法学者のアブーイスハーク・エルヘウィーニーは、「女というのは男を地獄へ導く悪魔であり、その声も顔も、全てがアウラである」と記しています。

彼らの主張は、頭では理解することはできます。しかし直接「お前は全身が恥部だ」とはっきり言われた時の絶望は、筆舌に尽くし難いものがあります。

だからといって、この躊躇のない断定に対しリベラルな立ち位置から「差別だ！」などと抗議しても何の意味もありません。私から見ると啓示には明らかに女性差別的な規定が多くありますが、彼らはそれを差別ではなく区別だと主張します。女と男は異なるものとして神に創造された、ゆえに異なる役割を与えられるのは当然だ、と理解しているからです。

そこには日本や欧米のフェミニストたちが見たら戦意を喪失するほど、完璧に規定された女性差別が歴然と存在します。彼女らは一度ムルガーン師のようなイスラム原理主義者と直接対峙してみるといいと思うのですが、彼女らのほとんどはイスラム教における啓示由来の性差別問題から目を背けます。実に偽善的です。

いずれにせよここはエジプトであり、この場を支配しているのはムルガーン師であり、イスラム的規範です。私にはそれに抗議する余地など一切ありません。特にこんな大物ジハード主義者に直接インタビューする機会など滅多にないのですから、機嫌を損ねるような真似はしたくありません。臨機応変、この場合は服従こそ最善策です。

うちの運転手もジハード主義者の仲間に

白く長いあごヒゲに三白眼、深い「お祈りダコ」が刻まれたおでこに、ドスのきいた声。

直接目にしたムルガーン師の第一印象は、「結構怖い」というものでした。目にするとは言っても、相手に「俺を見るな」と釘を刺された以上、ろくろく見ることも許されません。イスラム世界における女という立場の厄介さにため息が出るのは、こういった場面です。

いわゆる「怖いもの見たさ」というやつで、本当はじっくり観察したかったのですが、そんなことをしたら追い出されかねないのでやめました。そのかわり、こちらには映像という文明の利器があります。転んでもタダでは起きません。ムルガーン師の知らないところで、彼の風貌を、そしてその一言一言を、しっかりと確認させてもらいました。

祈りの時間を知らせるアザーンが聞こえると、例のセレブ青年に「お前はここにいろ」と小部屋に入れられたので、ドアを少し開け隙間からこっそり様子を覗いていました。すると真ん中にある一番大きな部屋にムルガーン師の仲間と思しき男性たちが数名集まってきて、やおら礼拝を始めました。よく見ると、なぜか端っこの方にうちの運転手も紛れ込み、一緒に礼拝しています。長いあごヒゲが自慢のうちの運転手は、彼らと並んで礼拝していると、どう見てもジハード主義者の仲間です。

礼拝が終わると、ムルガーン師がうちの運転手に「おまえはジハード主義についてこれまで学んだことがあるか?」と声をかけました。いきなり話しかけられたうちの運転手は、「いっ、いいえ、ありません!」と明らかに緊張している様子。「では今日、ジハード主義についてよく学んでいくがいい」と言われると「ははーっ」とひれ伏さんばかりの勢いで、早くも師に心酔してしまったかのようでした。私がその様子をのぞき見ているとも知らずに……と、なかなか複雑な気持ちがしました。

しかしうちの運転手の態度が、エジプト人男性としてとりわけ特殊だとは言えません。男性イスラム教徒同士であれば礼拝の時間が来れば一緒に祈るのが当たり前ですし、ムルガーン師のようなサラフィーは一般に尊敬の対象だからです。

『コーラン』と預言者ムハンマドの言行録ハディースを絶対視するサラフィーのあり方は、イスラム的に正統なものです。ジハード主義もまた、啓示に由来するイスラム法の正統教義です。

『コーラン』とハディースを絶対視するという点において、サラフィーやジハード主義者とそうではないイスラム教徒は完全に同じです。ですからイスラム教徒にとって、サラフィー主義やジハード主義に自分がどの程度コミットするかは別としても、それらをイスラム的に正しくないと否定するのはほとんど不可能です。それどころかエジプト社会では、武装闘争路線を肯定するジハード主義者はともかく、サラフィーは敬虔なムスリムとして尊敬されるのが常です。

世俗主義を推進してきたムバラク政権下では、サラフィーであることを言葉や態度で示す

「イスラム的自由」は制限されていました。世俗主義を反イスラムだと批判することは政府に対する反逆だと見なされ、長いあごヒゲもサラフィーの象徴として警官に咎められる時代でした。うちの運転手の自慢は、ムバラク時代、ヒゲのせいで何度も警官に注意されたが決してヒゲを剃らなかったという「輝かしい抵抗の歴史」でした。

エジプトの「アラブの春」は、「サラフィーの春」「ジハード主義者の春」であると同時に、「ヒゲの春」でもありました。もはや公の場でサラフィーやジハード主義者だと名乗っても逮捕されませんし、長いヒゲをしているからといって警官に咎められることもありません。うちの運転手は、その喜びについて何度も繰り返し語っていました。預言者ムハンマドの慣行にならいあごヒゲを長く伸ばすことのできる自由は、彼にとってよほど嬉しいことのようでした。

たかがヒゲ、されどヒゲ。彼のアイデンティティにおいて、ヒゲの占める位置は非常に大きかったのでしょう。

「アラブの春」を、西洋近代的な民主化や自由とのみ結びつける認識は誤っています。「アラブの春」後に行われた初の議会選挙で大勝利を収めたのが、いずれもイスラム主義政党だったことが、そのひとつの証左です。

過半数に迫る議席を獲得するという大勝利を収めたのが、ムスリム同胞団を母体とする「自由公正党」です。ムスリム同胞団は1928年にエジプトで創設された、社会、国、世界のイスラム化を目指すイスラム主義組織で、現在そのネットワークは世界中に広がり、世界最大のイスラム主義組織となっています。

この選挙では、サラフィー組織ダアワ・サラフィーヤを母体とする「ヌール党」も120を超える議席を獲得するという予想外の大健闘を見せました。

一方、「アラブの春」の中核を担った若者たちはうまく政党を作ることすらできず、当然のごとく選挙では惨敗を喫し、「我々の革命がムスリム同胞団に乗っ取られた」と負け惜しみを言うだけでした。

「アラブの春」がもたらしたのは「イスラム的民主化」と「イスラム的自由」だったことがより鮮明となるのは、ムルガーン師とのインタビューの直後に実施された大統領選挙で、ムスリム同胞団出身のムハンマド・モルシ氏が当選した後のことです。

「我々が武力を用いないということではない」

さて、ジハード主義者の仲間のように完全に同化して礼拝するうちの運転手に軽く落胆しつつも、気を取り直し、礼拝を終え別室に移動したムルガーン師にインタビューを始めました。

現在はどのような活動をしているのかと聞くと、「我々は平和的なやり方で、人々をイスラム教の正しい解釈、神の唯一性（タウヒード）へと導いている」と答えました。「平和的」という一言にこちらがうっかり安心しそうになったところで、間髪を入れず、「だがそれは我々が武力を用いないということではない」と強調し、次のように述べました。

「我々は不正に直面しない限り武力を用いることはない。しかし我々の正統で平和的な導きを妨害する敵が現れたら、我々は決して屈服などしない。その時には我々の剣と武力をもって、敵を排除する。我々は『コーラン』とスンナ（慣行）に立脚するという正しいやり方で人々をイスラム法による統治へと導いているのであって、これに対するあらゆる妨害は不正であり、神はこの不正を排除し、反撃する権利を我々に与えて下さった」

これはムスリム同胞団のイデオローグ、サイイド・クトゥブ（1966年没）の防衛ジハード論そのものです。クトゥブは、イスラム教は普遍宗教なのでイスラム教徒にはそれを広める義務があり、その義務の遂行を妨げる障害を武力によって除去することは「広義の防衛ジハード」だと論じました。クトゥブのジハード思想は現代のジハード主義者にも多大な影響を与えていることで知られています。しかし目の前にいるジハード主義者の口からクトゥブ思想が語られるのを実際に聞くというのは、どうしても血が騒ぐというか、研究者魂が疼くものがあります。

それと同時に、この場でもし私たちが彼らに「イスラム教の拡大を妨害する敵」だと認定されたらジハードされかねないので、うっかりしたことは言えません。

「広義の防衛ジハード論」は現代のジハード主義者の主流派です。ムルガーン師は「アフガニスタン、チェチェン、イラク、ソマリアなどでのジハードは全て不正なる敵の攻撃に対する報復だ。武力で攻撃してくる敵と戦うには武力を用いるしかない」とも述べました。敵とは誰かとたずねると、「アメリカとロシア、またそれらの手下となっている諸国の統治者たちなどあらゆる帝国主義者たちである」とのことでした。

防衛ジハードの正統性について熱く語りつつ、ムルガーン師は自分たちの活動はあくまでも「エジプトで現在進行中の革命の一環」なのだと強調しました。彼は「平和的」と「革命」という言葉を、逃げ口上にしているように見えました。「平和的」と言えば外国人も文句はなかろう、「革命」という錦の御旗のもとであればジハードを主張しても問題なかろうという、この時期特有の楽観がそこには感じ取れます。

民主主義については、次のように語りました。

「民主主義は『コーラン』とスンナに基づかない。『コーラン』とスンナに基づかないものは全て反イスラムだ」

スンナというのは、『コーラン』に次ぐイスラム法の第二法源です。一般にスンナは、預言者ムハンマドの言行録ハディースに体現されていると理解されています。

「民主主義も世俗主義も国民国家も国民主権も世俗法も、全て西洋に由来する反イスラム的制度であり、我々はその全てを否定する。」

「民主主義における国民主権は、神にのみ主権は存するというイスラム教の原則に反している。神の被造物にすぎない人間に主権を与える制度は誤っており、我々は主権を神に返還しなければならない」

「神の命令に従い、イスラム法を適用し、それによる統治を行わなければならない」

同師の返答には躊躇もよどみも全くありません。「アラブの春」で「イスラム的民主化」を訴えた多くの市民たちとは異なり、彼は民主主義を完全に否定する立場に立っています。反民主主義のお手本のような回答が目の前の強面ジハード主義者の口からスラスラと流れ出てくるのを聞くのは、小気味よくすらありました。

「イスラム国」によるカリフ制再興まで

「イスラム法による統治を行わなければならない」と主張するムルガーン師に、ではどのようにしてイスラム法を適用し統治を行うのかとたずねると、次のように答えました。

「神が我々に啓示したままに、我々は神の法を適用すればいいのだ。神の命令に従いさえすればいい。それ以上『どのようにして』も何もない」

「エジプト国民のほとんどはイスラム教徒で、イスラム教徒はみなイスラム法による統治を求めている。これまでは不正な法、統治者に従うことを強制されていたので、その状況を甘受していただけだ。イスラム法が適用されればみなそれを当然のこととして受け入れ、それを拒否するのは世俗主義者だけだということが明らかになるだろう」

「神の思し召しにより、エジプトでは必ずイスラム法による統治が実現されると信じている。エジプト人はみなイスラム法に強い憧れを抱いている。なぜならイスラム法は完全なる神の法で、そこに瑕疵はなく、全てが公正であり、不正が全くないからだ」

「アラブの春」以降のエジプトでは、イスラム法による統治を公然と主張する論者が急増しました。ムスリム同胞団もダアワ・サラフィーヤも、目標に掲げているのはイスラム法による統治です。

『コーラン』5章44節には、「神の啓示されたものによって統治しない者は不信仰者である」とあります。これはイスラム教徒はイスラム法にのみ従わねばならないという意味であり、ゆえに彼らが世俗法による統治という現制度を否定し、イスラム法による統治を目標に掲げるところまでは私にも理解できます。

ただ私には、「でもどうやって？」というのがいつも疑問でした。人間が立法した世俗法と神が立法したイスラム法とでは、あまりにも大きな違いがあります。ムルガーン師も言っているように、イスラム法は民主主義や国民主権、国民国家といった現行制度を全て否定しています。しかもイスラム法施行には、全イスラム共同体の指導者としてのカリフという存在が必須とされます。

当時の私には、イスラム法による統治の具体像を思い描くことができませんでした。

私がムルガーン師の「神の命令に従いさえすればいい」という言葉の意味を本当に理解できたのは、この2年後、イラクで「イスラム国」がカリフ制再興を宣言した後のことです。あれこれ考えて躊躇する必要などない、統治に世俗主義などというものは一切不要であり、イスラム法による統治はやればできるのだ、というのを証明して見せたのが「イスラム国」でした。

「イスラム国」によるカリフ制再興宣言は、イスラム法を研究してきた私にとって極めて衝撃的な出来事でした。サラフィーやジハード主義者のみならず、全てのムスリムにとってのその衝撃の大きさ、いやむしろ喜びの大きさは、察するに余りあります。

ムルガーン師は２０１３年11月、モルシ政権が崩壊し軍が再度政権を握った後で、ジハード組織を結成し反乱を企てていたとして逮捕され、2015年8月獄中で病死しました。

「サラフィーの春」「ジハード主義者の春」は長くは続かなかったのです。

しかし、「リベラル・デモクラシーの春」がやってくることもありませんでした。

フランシス・フクヤマやエマニュエル・トッドの提示した「人類発展の普遍モデル」は、机上の空論に過ぎないと確信させる現実を、私はエジプトでしかと目撃しました。

3

頭上注意

白砂漠を歩く娘と運転手とハーガル。

言わんこっちゃない

「アッラーフ・アクバル！　アッラーフ・アクバル！」

２０１３年11月のある日、自宅で掃除をしていると、かなりヒステリックに繰り返しこう叫ぶ声が聞こえてきました。

「アッラーフ・アクバル」は文字通り訳すと「神（アッラー）は偉大なり」です。エジプト人に限らず、イスラム教徒は礼拝時を始め日常生活のいろいろな場面でこのフレーズを言うのですが、それはあまり好ましい状況下ではないこともあります。この時の「アッラーフ・アクバル」はその声のトーンからして十中八九、尋常でない事態が発生したのだろうということがうかがわれました。

窓を開けて外を見ました。

やっぱりそうです。

人が倒木の下敷きになっています。

緑色のジャージをはいた足が二本、木の下から突き出ていて、ピクリとも動きません。かなり流血している状況を見ると、即死だったのではないかと思われました。

とっさに「ラヒマフッラー（神が彼にご慈悲を与えますように）」と呟きました。亡くなった人に対するお悔やみの言葉です。

集まってきた野次馬のうち数名が、「アッラーフ・アクバル！」と叫び続けています。私の頭の中を、「言わんこっちゃない」とか、「なんでこうなる?!」といったセリフがぐるぐる巡ります。

話を一日前に戻しましょう。

その日、私たちはカイロ空港に深夜到着する便でロンドンから戻りました。空港に迎えにきたうちの運転手が道すがら、「アカリさん、そういえば家の前の木が倒れたんだよ」と言ってきたので、「あー木ね。よく倒れるよね」と返すと、「違うんだよ、これが結構大変なことになっていて……」と何やら深刻ぶっています。彼に限らず、エジプト人はよくも悪くも話を盛る傾向にあるので、その時は「そうなんだ」程度で受け流していました。

ところが家に着くと、あまりの光景に仰天しました。うちの運転手は話を盛ってなどいなかったのです。

玄関口に立っていた巨木が倒れ、先端部が道の反対側の建物に突き刺さっています。木は根元から引っこ抜かれたような形で倒れており、根元にあった壁は倒壊し、そこを通っていたガス管もへし折られむき出しの状態です。その倒壊っぷりは、あたかも迫撃砲が直撃したかの如くであり、周囲の様子は内戦下の某国のようでした。

バウワーブのおじさんに聞くと、家のガスはもちろん使えず、復旧のためには木を引っこ抜いてガス管を再建しなければならないとのこと。

バウワーブというのは、エジプトの集合住宅には必ずいる門番と用務員を兼ねたような人です。私の住んでいた建物にも数名のバウワーブがいて、交代で常駐していました。出先から戻り建物の入り口にいつものバウワーブが座っているのを見ると、「ああ帰ってきたなあ」となんとなくほっとします。その日のバウワーブは大柄で物静かなタイプの、なぜか私のフェイスブック・ページの「知り合いかも」にいつも現れるおじさんでした。「インシャアッラー、明日か明後日にはガスも復旧するよ」と気楽な風情で答えます。

私はこうした場面での明日とか明後日とかいう言葉は一切あてにしないことにしていますが、彼らの適当発言に悪気は一切ありません。インシャアッラーというのは、アラビア語で文字通りには「神がお望みなら」という意味です。先程のセリフは、もし神様がガスは明日復旧すると決めていれば明日だろうし、明後日と決めているならば明後日だろうし、それは人間であるオレたちにはわからないけど早く復旧するといいよね、という主旨です。

こういう場合に「インシャアッラーとか言ってないで確実にいつなのか教えろ」などと迫るのは無粋で、しかもそんなことを言っても感じが悪いだけで何ひとついいことはないので、こちらも「そうだね」という主旨で「インシャアッラー」と答えるのがスマートです。インシャアッラーは時と場合によって変幻自在の主旨で使われるので、これを適切に使いこなせるようになればアラビア語話者としては着実に一歩前進と言えます。

翌朝、ガーっという大きな機械音がしたのでベランダから外をのぞくと、ヒジャーブで髪と首元を覆ったたくましいおばちゃんが、チェーンソーで例の木の根元を切っていました。何か嫌な予感がしてしばらく見ていると、根元が半ば切られた巨木がさらに傾斜し、今度は先端が前の建物に設置されていたエアコンの室外機を直撃しました。破壊された室外機から、シューっとすごい勢いでガスが漏れ出します。その家の住民とみられるおじさんが、頭を抱えているのが窓越しに見えました。こんな時も彼らは「アッラー(神さま)……」と言います。

さらに木を切り進めるおばちゃんを横目に、「なんだか大変なことになっているな」と私が家に入り掃除を続けていたところで、冒頭の「アッラーフ・アクバル」が聞こえたわけです。なぜか完全に地面に倒れた木によって、おじさんが絶命しています。ラヒマフッラーとしか言いようがありません。

ジハードで死んだらみんな殉教者

亡くなった方の周りに、たちまち数十人の野次馬が群がりました。エジプトでは道端でケンカや事故が発生するとものすごい速さで野次馬が集まってくるのが通例です。見ていると我が家のバウワーブが新聞紙を持って現れ、ご遺体と流血の上におもむろに新聞紙を広げ始めました。よく見ると日本語の新聞です。「それ！　うちの捨てた新聞でしょう?!」と思いはしましたが、まさかその用途で使ってくれるなとも言えません。

それにしてもなぜ、我が家の目の前で倒木によって人が絶命するようなことになったのでしょうか。どうしても知りたかったので、私も野次馬に便乗しました。駆けつけた警官やら野次馬やらの話を総合すると、亡くなった方は倒木の撤去作業員の一人で、地面に落ちた枝などを拾い集めていたところ、巨木が急に倒れてきたため下敷きになった、とのことでした。「急に」ってあなた、チェーンソーで根元を切っているのだから、遅かれ早かれ木が倒れるのはわかっていたでしょうに、なぜよりにもよってその真下で作業しているんですか?!　命をもうちょっと大事にしましょうよ！と声を大にして言いたいのは山々でしたが、野次馬たちは一様に「彼はシャヒード（殉教者）だね……」「天国に行ったね……」と神妙な様子で現実をある程度肯定的に受け止めていました。

イスラム教では事故で亡くなった人は殉教者とされ、神によって天国に入れていただけると信じられています。それは信者にとってある意味「幸福な死」であり、「理想的な死」なのです。

またイスラム教徒は、この世で発生するあらゆる事象は神の意図に基づいて生じると信じています。ゆえに今回倒木によっておじさんが亡くなったのももちろん神の意図であり、それによって彼が殉教したのも神の意図だと理解されます。要するに「アッラーフ・アクバル」なのだ、という具合に誰しもが納得します。私のように「なんでもっと気をつけないんだ?!」などと考えるイスラム教徒は、いたとしてもかなり希です。そして実際に、そんなことを今更考えたり言ったりしても、時間が巻き戻って彼が生き返る訳ではないので、確かに無意味と言えば無意味なのです。

イスラム教の教義では、現世をいかに「神の命令」に従って生きたかにより、その人が来世で救済され天国に行くか、地獄の業火に苦しむことになるかの判断が神によって下されるとされています。彼らにとって現世は天国へ行くためのチャンスでありつつ試練でもあり、長く続く試験期間のようなものでもあります。彼らは死後も、墓の中で終末の日が訪れるのをひたすら待ち続けます。終末の日に彼らは蘇生し、最後の審判を受け、そこでようやく天国行きか地獄行きかが判明します。終末はいつ訪れるかわからないのですが、それは信者にとって果てしなく長く感じられる道のりです。

一方ジハード（神の敵との戦い）や事故で命を落としたイスラム教徒は殉教者とされ、墓の中での待機期間を経ることなく、特例で天国に直行すると信じられています。これは世界中でジハードに身を投じるムスリムが後を絶たない理由のひとつであり、また同時に彼らが事故死というものに対し私たちとは異なる「前向きな諦め」で向き合う理由にもなっています。

しかしイスラム教徒ではない私がこの一件から改めて学んだのは、「頭上注意」の一点に尽きます。

エジプトの道は歩いているだけで危険がいっぱいで、前後左右上下の全てに注意しないと、いつどこからどんな危険が降ってくるかわかりません。

友人のひとりはある時、道を歩いていたら上から鼻をかんだ後と思しきティッシュが降ってきて直撃をくらったと興奮半分、怒り半分で話していました。ティッシュならば嫌だけど笑えますが、倒木は笑えません。下手すると死ぬ、というのが今回得た教訓です。

この教訓を胸に刻み込んで生きていたおかげで、後に私は命拾いをすることになります。

頭上からバルコニーが降ってくる

家の前での倒木圧死事件から約1年半後。

買い物をしようと近所にある某マーケットに向かって歩いていた時、上方から「ミシミシッ」っという音が聞こえたので、とっさに走って逃げたところ、その数秒後、まさにさっきまで私がいた場所に、何かが上から「ドーン！」と落ちてきました。

「えーっ何?!　これ、今、私、走ってなかったら、死んでたじゃん?!」と、バクバクとする心臓のものすごい鼓動を感じつつも、不穏な音だけでとっさに走った自分の瞬発力すごい的な、とにかく死なずにすんでセーフ的な、妙な興奮状態に陥りました。

かなり動揺しつつも、一体何があったのか確かめないと気が済まないので、事故現場に近づいてみると、野次馬のおじさんが私に対し、口々に「アルハムドリッラー（神に称えあれ）」と声をかけてきました。これは「よかったね」的なニュアンスの言葉です。もちろん彼らの主旨としては、私があの瞬間走って逃げたのは神のご意志ゆえであり、私の判断でもなんでもないわけですが、いずれにしても確かにこの時は紛れもなく「アルハムドリッラー」でした。

もうもうと土埃をあげている、落ちてきた巨大物体をよくよく見ると、それはバルコニーでした。見上げると、建物の3階に設置されていたはずのバルコニーが、もげたようになって消え失せています。

なぜこんなことになったのか？

日本では事故が起こると必ず原因究明をしますが、エジプトではこのような場合、私が「なぜ?!」とあれこれ考えたり憤ったりしても限りなく無意味です。エジプトの建物というのは地震もないのに倒壊することで有名なので、バルコニーが落下したくらいでは、それほど不思議な現象ですらありません。

とにかく死ななかったのは神の思し召しだ、と感謝するのが正しい反応だとされます。「建物倒壊」はエジプトのローカル・ニュースの定番のネタです。7〜8階建程度の集合住宅が下からぐしゃーっと潰れていく映像もよく出回ります。倒壊を体験した住民らの話を聞くと、大概の場合、倒壊の少し前からミシミシミシ……と明らかに建物が軋む音が聞こえたり、建物全体がグラグラと揺れたりし、多くの人が「これはヤバい」と察知するようです。倒壊する前に住民は避難していることが多いので、けが人や死者が出ることは滅多にありません。野次馬が建物に近づきすぎた時にちょうどダーっと倒壊したりすると、みんなワーっと逃げるのですが、むしろそこでけが人が発生したりします。

エジプトの建物は特に外的要因がなくても倒壊するので、地震でもあろうものなら、それはもう大変です。

カイロでは1992年にマグニチュード5・8の地震が発生したのですが、その際には350の建物が全壊、9000以上の建物が半壊し、5万人以上が家を失い、500人以上が亡くなりました。日本では考えられないほどの被害規模です。

エジプトで建物倒壊ニュースを聞くたびに、私は「うちもヤバいな」と不安になっていました。我が家で深夜に耳を澄ますと、かすかに「ミシミシ」という軋み音が聞こえる……気がするからです。床にボールを置くと必ず一方側に転がっていきます。全く水平ではありません。壁と天井の境目を見ても、明らかに斜めになっているのがわかります。我が家は間違いなく、相当歪んでいるのです。

エジプトの建物がよく倒壊する理由のひとつは、建物のあちこちに砂が使用されているからだと言われています。エジプトには砂だけはたっぷりあり、砂はタダだからです。ここでは最安の建材が砂なのです。

確かに建設中の建物の中に大量の砂が持ち込まれたり、外部に砂が堆く積まれていたりするのをよく見ます。うちの前にも、何に使ったのか使うつもりなのかよくわからない砂の山が常にあります。きっと私たちの住んでいる建物にもあちこちに砂が使われていて、ものすごく脆いに違いありません。

考えれば考えるほど不安になります。でもどこに引っ越してもリスクは大して変わらないでしょうから、エジプトに住んでいる限りこの不安から逃れることはできません。だったらあれこれ考えるべきではない……毎回そんなように思考を停止します。考えれば考えるほど悪い方向にしか進まない思考は、停止したほうがいいのです。

こぶし大の石が飛んでくる

家に関しては考えても仕方がないのですが、街で降りかかる災禍は何としても避けなければなりません。道はガタガタで、注意しないと躓いたり足を挫いたりします。車やバイクは前後左右いつどこから突っ込んでくるかわかりません。バイクは平気で堂々と歩道に乗り上げて走ります。上からは木やティッシュやベランダや、いろんなものが落ちてきます。

路肩に車を止めて魚屋で魚を買っている時、なぜか高架の上から2メートルくらいの長さの角材が降ってきて車のフロントガラスを直撃したこともありました。少しずれていたら私の頭上に落下していたかもしれませんし、だとしたら確実に死んでいたと思います。

時々訪れていたスラム街で顔見知りのおじいさんが寝たきりになったと聞き、訪ねてみると、家の天井が崩落して体のあちこちを骨折しそれっきり動けなくなった、と意気消沈していたこともありました。スラムでは珍しくないことです。

「アラブの春」の際、デモ隊の殺害に関与した容疑で訴追されたムバラク元大統領の裁判の取材に行った際には、ムバラク支持派と反対派の市民が裁判所前に多数集結してなんとなく二手に分かれ、それぞれがこぶし大の石をどこからか拾い集めて積み上げ始め、何をするのだろうかと見ていると相手に向かってやおら石を投げつけ始め、大急ぎで逃げたこともあります。アラブ人は抗議の意味で投石することが多く、これがもうめちゃくちゃに投げまくるので、頭に当たりでもしたら大事です。

日本に帰国後、前後左右上下に注意を払わずとも道を歩くことのできる気楽さに感激しました。しかしそんな日本でも、希に頭上から落ちてきた物体によって人が怪我をしたり亡くなったりする事件は発生します。

人はいつどのように死ぬか全くわからないし、私ももちろん例外ではありません。

理由はわからなくても、今まだ生きているという現実は、それだけで「アルハムドリッラー」なのです。

火星に来たかのように

エジプトは大規模交通事故も頻繁に発生します。電車が脱線して横転する、電車と電車が正面衝突する、電車とスクールバスが衝突するなど、数十人、ひどいときには数百人の死者が出る事故も珍しくありません。日本で発生したら大問題になり長く議論されそうな悲惨な大規模事故が頻発するので、徐々にこちらの感覚も麻痺してきます。

観光客が事故で死亡することも珍しくありません。

2015年9月にはエジプト西部地帯のいわゆる「白砂漠」で、メキシコ人観光客らが乗った車列をエジプト軍が誤って空爆し、メキシコ人8人を含む12人を殺害する、という「事故」が発生しました。エジプト当局は当時、エジプト人を誘拐し斬首した武装勢力の掃討作戦を行なっており、車列が規制区域を走っていたのが悪いのだと弁明しましたが、ツアーガイド組合長は、このツアーグループは必要な許可をとっており車列は規制区域を走ってなどいなかったと証言しました。

事故現場の白砂漠はエジプト有数の観光地のひとつで、私たち家族もサラフィー運転手とハーガルという日本のメディアの支局で助手をしているエジプト人女性とともにここを訪れ、キャンプをしたことがあります。「有数の観光地」ではあるのですが、不思議なことにエジプト人はほとんど誰も行ったことがないと言います。エジプト人は休暇というと、海辺のリゾートに行って海岸を散歩したりシーフードを楽しんだりするのが定番なので、「もともと砂だらけのところに住んでいるのに、なぜ休暇まで砂漠に行く?」という感覚のようです。でも運転手とハーガルに聞いてみたところ二人とも「行ってみたい」というので、みんなで行ってみることにしました。

カイロから４００㎞ほど離れたところにあるバウィーティーという街まで車で行き、そこからガイド兼運転手の運転するランドクルーザーで砂漠ツアーに出かけました。この時ばかりは、うちのサラフィー運転手も運転せずに一緒に車に乗っていました。

しばらく走ると通称「黒砂漠」が現れます。黒っぽい砂や岩山が続く黒砂漠を抜けると、ランクルがオフロード走行を始め、ものすごいスピードでガタガタの道を突っ走ります。その疾走感たるや、１時間ずっとジェットコースターに乗り続けているかのようでした。娘は大喜びで興奮していましたが、絶叫マシーン嫌いの私はかなりげんなりしました。その先に現れるのが白砂漠です。

一面に広がる白い砂と奇岩の世界。様々な形、大きさのキノコのような形の奇岩や、ヒヨコのような形の奇岩があちらこちらにニョキ、ニョキと屹立しています。日が沈み始めると奇岩の景色はピンクとブルーのグラデーションに染まり、日没後の夜空には恐ろしいほど大量の星が輝きました。

私は火星に行ったことはありませんが、ここはまさに「イメージとしての火星」と呼ぶにふさわしい、本当に火星に来たかのような錯覚に陥る場所でした。

日が沈むと何も見えなくなってしまうので、その前にみなで大急ぎでテントを張り、夕食にはガイドが焼いてくれた鶏を食べました。鶏を焼く匂いにつられてやってきたフェネック（北アフリカなどの乾燥地帯に生息するキツネのなかま）と遊んだり、焚き火を囲んでおしゃべりをしたり、たいへん楽しい夜でした。

私たちにとってはこんなに素敵な思い出のある白砂漠なのですが、メキシコ人空爆事件の1カ月ほど前にも、もう少しカイロに近い地点で、クロアチア人が誘拐され「イスラム国」によって斬首されるという衝撃のテロ事件が発生しました。

「イスラム国」は殺害された彼の姿を映した写真を公開したのですが、そこには次のような言葉が記されていました。

「このクロアチア人捕虜は、彼の祖国が『イスラム国』との戦いに参加しており、（身代金支払いの）期限が過ぎたにもかかわらず、エジプト背教政府と彼の政府がそれを無視したため殺害された」

クロアチアは対「イスラム国」有志連合について支持を表明してはいますが、軍事作戦などには全く参加していません。それでも「イスラム国」にとってクロアチアは敵国であり、クロアチア人は殺害対象なのです。

２０１５年に「イスラム国」が後藤健二氏と湯川遥菜氏を殺害した際、日本では、これは安倍首相がその直前にエジプトのカイロを訪問し、対「イスラム国」有志連合に約2億ドルの支援を約束すると発表したのが悪かったのだ、といった「政権批判」が巻き起こりました。しかし「イスラム国」は有志連合に参加しようとしまいと、支援を発表しようとしまいと、日本を敵国とみなしています。人間の作ったこの世の秩序の全てを否定する「イスラム国」にとっては、現存する全ての国家が敵なのです。その大前提を理解せぬままこの悲劇を政権批判に利用する行為には、「イスラム国」の犠牲となった多くの国の多くの人々の命を踏み台にして憚らない浅ましさを感じます。

テロとの戦いは続く

白砂漠のある広大なエジプト西部砂漠はリビアと接しており、「イスラム国」以外の武装勢力も跋扈しています。検問所が襲撃され、治安部隊員が命を落とす事件も発生しています。

エジプトにはピラミッドやルクソール神殿などをはじめとする数々の史跡や、白砂漠のような素晴らしい自然など、世界のここにしかない観光資源が数多くあり、観光はエジプトのGDPの10％以上を占める主要産業です。2011年の「アラブの春」以降の治安悪化にともない、それ以前には年間1400万人訪れていた観光客が2016年には約3分の1

の500万人にまで落ち込みました。テロが減少し治安が改善途上にある2019年になって観光収入はようやく「アラブの春」以前の水準を取り戻しました。

一方でエジプト当局は全土で「テロとの戦い」も継続しています。エジプトにおける「テロとの戦い」の対象となっているのは、主に「イスラム国」とムスリム同胞団系武装組織です。日本では「テロとの戦い」を対米文脈でのみ論じる傾向が強いですが、「テロとの戦い」の主戦場は中東地域であり、その先頭に立っているのは多くが米兵ではなく中東諸国のイスラム教徒の兵士たちです。彼らは自国民の安全と自国の安定、発展のためにテロと戦っています。エジプトの場合、テロの犠牲となるのもエジプト人なら、治安悪化による観光収入減少による直接的打撃を被るのもエジプト人です。

「テロとの戦い」は、自由や私権の制限を伴います。それゆえ現在のエジプトのシシ政権はしばしば「独裁」と批判されます。しかしエジプトに治安を取り戻し、観光客を引き戻したのは、この政権です。

エジプトには「テロとの戦い」をしない、という選択肢はありません。自動小銃や迫撃砲で突如攻撃を始めたり、あちこちに爆弾を仕掛けては爆発させたりするテロリストが、市民の中に潜んでいるのです。ここでは自由は、平和ではなく混乱と無秩序と死をもたらします。そのような「現場の現実」には見向きもせず、シシ政権を人権弾圧の独裁政権だと非難する

「専門家」や外国メディアは極めて偽善的かつ無責任です。

日本にも、「テロリストとは戦うな、話し合え」と意見する「専門家」や政治家や、文化人などがいます。しかしどこに潜んでいるかわからず、軍や治安部隊だけではなく丸腰の一般市民をも標的とし無差別テロ攻撃を仕掛けてくる相手と、いったいどのようにして話し合えばいいのでしょう。テロとの戦いが「前近代的」で「非民主的」で「野蛮」だと言うならば、相手が話し合いに応じるというまで、こちらはやられるがままのんびり待つのが「近代的」で「民主的」で「人道的」なやり方なのでしょうか。そんな非現実的な見解が、テロとの戦いの現場で受け入れられる余地は皆無です。

治安の安定なしにエジプトの明るい未来はありえません。世界にはまだ、そのような状態におかれている国が数多くあるのが現実です。

物事にも政治にも、その時、その場で優先されるべきことがあります。テロで愛する者を失った経験などあるはずもなく、テロの差し迫った危機を感じたことも、それを想像したことすらもない人間が、「テロリストとは話し合うべき」などと主張しているのを聞くと、私は憤りを覚えます。

「理想」を語る人の言葉は、うっとりするほど美しいかもしれません。自分もまたそうした「理想」を語ることで、あたかも善良で高尚な人間であるかのような気分に浸れるかもしれません。

しかし私にとってそれらは偽善の言葉であるだけでなく、現実の脅威に立ち向かう他者を愚かだと見下し、あるいは他者が現実を理解するのを阻害する不遜で無責任な言葉に聞こえます。

私は偽善が嫌いです。それは文字通り、「偽《ニセ》ものの善」にすぎません。偽善の政治では市民が次々と死ぬのを止められない世界というのが、今の世の中には存在します。私はその現実に背を向けることはできません。

4

バット餅

焼きとうもろこしを売る屋台。

食材ない問題

エジプトにはいわゆる日本食材がありません。

正確に言うと、キッコーマン醬油だけはあります。しかし醬油以外はありません。中国製の怪しげな日本食材もどきは時折見かけましたが、私は手を出しませんでした。

モロッコ留学中、地中海に面した小さな町に住んでいた時には醬油すらありませんでしたが、それでも特に困ったと感じたことはありませんでした。和食へのこだわりを完全に捨てさえすれば、手に入るものを買い、料理すればいいだけなので、気楽なものです。モロッコには新鮮な野菜や果物が豊富にあり、おまけに私の住んでいたのは港町だったので、種類は少ないものの新鮮な魚も手に入りました。

私が留学中、研究資料として使うアラビア語の法定文書を写させてもらうために通っていた旧家の女主人は、たまたま料理本を出版しているほどの料理の達人で、行くたびにモロッコ料理を教えてくれました。おかげで、私もすっかりモロッコ料理が得意になってしまいました。

　ところがエジプトでは、この「食材ない問題」で随分苦労しました。家族がいたのと、私が和食生活にこだわったのが原因です。当時の私は毎日三食に加え、娘のお弁当も作らなければなりませんでした。

　人間の生活というのは、一人で暮らすか複数人で暮らすかによって驚くほど大きく変わるものです。一人暮らしは大変気楽で自由です。一方で、時折恐ろしいほどの孤独や不安に苛まれることもあります。病気など、困ったことが発生した時、助けてくれる人がすぐ身近にはいないのは心細いものです。

　複数人で暮らすとやらねばならないことが増え、自分の時間は減り、わずらわしいことも多く発生します。しかしその「せい」か、あるいはその「おかげ」か、孤独や不安を感じるような隙間は物理的にも精神的にもなくなり、他者から与えられる喜びという別の要素が加わります。

　どちらがいいか、という話をしたいわけではありません。ただモロッコ時代の私は前者であり、エジプト時代の私は後者だった、というだけのことです。

　日々の和食生活を送る上で私にとっての必須食材は昆布、鰹節、味噌の三点セットです。昆布と鰹節からとった出汁で作る味噌汁は、我が家の食卓に欠かせません。外国暮らしの長い娘にも、自然な出汁の美味しさを知っていてほしいという思いもありました。この三点セットは日本から持ち込んだり、ヨーロッパに行った時に買い足したりしていました。思い返すとちょっと滑稽ですが、私はカイロで毎日のように、鰹節をせっせと、そしてガリガリと削っていました。

酒やみりんはエジプトで売られている安い白ワインや蜂蜜などを使って代用できるので、特に問題ありません。ポン酢やだし醤油、ドレッシングなどは手に入る材料で手作りします。面倒ですがやればできます。

野菜は、スーパーで売られているものが「何週間前からそこにある?」と突っ込みたくなるほどあまりにも悲惨な状態なので、毎朝トラックで採れたての野菜を運んできて道端で売っているおばちゃんたちから買っていました。しばらくあちこちで野菜を買って比較した結果、「道端野菜」が最も新鮮だと判断したからです。

ただ問題もありました。第一に、道端野菜屋は違法です。ですから時折やってくる警官に蹴飛ばされたり怒鳴られたりするといった嫌がらせを受け、店じまいをして立ち去るよう強制されます。違法なので致し方ないのですが、一度摘発されるとしばらく現れないので私としては困ります。しかし大概、もう来ないのかなと諦めた頃に再び現れます。大変にたくましい商魂の持ち主たちです。大いに貢献したい気持ちになります。

第二に、道端野菜は売られているものがいつもまちまちです。トマト、キュウリ、玉ネギ、ジャガイモといった基本野菜はいつもあるのですが、それ以外はあったりなかったりバラバラです。ですからキャベツがほしいなと思っても、その日にキャベツがなければ手に入りません。またキャベツに関しては、あったとしても直径50センチメートル以上ある化け物級の巨大キャベツだったりします。それしかないので、買うしかありません。

道端野菜は家族経営のようで、たまに子供たちもついて来て手伝いをしていたのですが、私がいつも「コロンボ（エジプト語でキャベツの意）ある?」と聞いているイメージを持っているようで、私を見かけると遠方からでも「コロンボー!」と大声で呼んできました。「人のことコロンボとか言って遊んでないで学校行け!」といつも言い返していたのですが、学校には行っていると言い張っていました。その割には、明らかに学校で勉強しているはずの時間に道端で野菜を売っています。何がどこまで本当だかわかりません。

第三に、道端野菜は全てがキロ売りなので、いちいち大量に買わなければなりません。買う際には、それらをどう保存・調理するかが常に問われます。

大きいトマトは湯むきして刻み、煮込んでトマトソースにするのが一番です。水煮缶のトマトから作るものとは一味も二味も違う、美味しいトマトソースが出来上がります。100個くらいまとめ買いさせられるミニトマトは、こちらも湯むきして、はちみつに漬け込んでコンポートのようにするとフルーツ感覚で食べられますし、日持ちもします。キャベツは千切りにして塩漬けにしたり、コールスローにしたりすると大量にさばけます。葉っぱがうまくむけたものはロールキャベツにし、うまくむけなかったものは浅漬けにしたり炒め物やお味噌汁の具に使ったりします。

モロヘイヤは猛毒に注意

エジプトを代表する野菜と言えばモロヘイヤですが、これは処理するのに大変な時間がかかります。茎が束ねられた状態で売られているので、まず茎から葉だけをむしり取ります。モロヘイヤの茎や種子の入った鞘には猛毒があるので、丁寧に取り除かなければなりません。私は相当雑で適当な人間ですが、さすがに私の雑な作業のせいで家族の命を危険にさらすわけにはいかないので、ここは慎重にやります。次にむしった葉をきれいに洗い、沸かしたお湯でさっと湯がきます。それをフードプロセッサーに入れて粉砕し、ドロドロの状態にしてからジップロックに入れ、平たく伸ばした状態で冷凍します。文字にすると何だか簡単そうですが、実際は恐ろしく時間のかかる工程です。でもこの自家製冷凍モロヘイヤがあればいつでもモロヘイヤ・スープが作れるので、うちでは常備していました。

道端野菜はお金に関してもかなり大雑把です。私はいつもまとめて大量に野菜を買っていましたが、いつもおばちゃんの言い値を支払っていました。明らかに値段を上乗せし、適当な金額を要求してくるのですが、私はそれでいいと思っていました。私は道端野菜が気に入っていたし、彼女らに貢献したいと思っていたからです。その一方で、私がたまたまその言い値を釣り銭なしで支払う紙幣を持ち合わせていない時などには、持ち合わせだけでいいとか、次回でいい、と言ってきました。エジプトでは、支払いの時の端数の処理の仕方が適当なのはどこの店でも共通していて、これに慣れると、日本の店で一円まできっちりお釣りを返してくれるのは本当にすごいなあと妙なことに感心するようになります。

道端野菜の少し先には果物屋、魚屋、鶏肉屋、牛肉屋が並んでいるところがあるので、他の食材は通常そこで調達していました。

果物も野菜と同様に必ずキロ買いで、スイカも直径50センチ超の特大級だったりするので、これも保存や消費に工夫が必要でした。果物はミントやバジルといった葉物と一緒にミキサーにかけてスムージーにすると、大量に消費できるうえに健康になった気分を味わえるので、気に入っていました。

エジプトを代表する果物はマンゴーですが、これがアウェイスィーだのタイムールだのコバンヤだのゼブディーヤだの種類が非常にたくさんあって、それぞれに時季や食べ頃や食べ方が異なるらしく、私には何が何やらさっぱりわかりません。行きつけの果物屋さんはその点さすがにプロなので、その時々に美味しいマンゴーをお勧めしてくれる上に、どういう状態になったら食べごろで、どのように剝いたり切ったりして食べればいいかまで懇切丁寧に教えてくれるので、助かっていました。スイカも、おじさんは外からぽんぽん叩くと甘いかどうかがわかるそうで、たまに甘くないスイカもありましたが、概ね甘いスイカを選んでくれました。

鶏肉は鶏肉屋で買っていたのですが、私の前に立ちはだかったのは「鶏モモ肉に皮がないぞ問題」でした。鶏モモ肉は現代日本人にとって欠かせない食材であり、それを使った代表料理といえば唐揚げです。唐揚げには絶対に皮が必要です。皮なしの唐揚げはありえません。ところがエジプトの鶏モモ肉は、全て皮がはぎ取られた状態で売られているのです。これは大問題でした。

対案として私は骨付きの鶏モモ肉を買い、ナイフを使って骨を取り外して「皮付き鶏モモ肉」にしていました。こう書くと簡単そうですが、これもなかなかの難作業です。しかし「みんな大好き皮付き唐揚げ」にありつくには、この工程は避けて通れません。唐揚げひとつとっても、なかなかに困難な道のりです。

ところ変われば呼び名も変わる

困難といえば、私が最も多くの困難を乗り越え、頑張って入手していたのが魚介類です。

行きつけの魚屋には、いつも氷の上に十種類くらいの魚やイカなどが丸ごとドーンと並べて置かれており、私はよくデニースやムルガーンと呼ばれる鯛の類や、ムーサーと呼ばれる舌鮃、ワッアールと呼ばれるハタに似た魚やアルースと呼ばれるスズキなどを買っていました。

デニースは黒っぽい鯛で、レモンとハーブでマリネにしてオーブンで焼いたり、土鍋で鯛めしを炊いたりしていました。

ムルガーンは赤っぽい色の鯛で、こちらはよく煮付けにしていました。ムルガーンというのはアラビア語エジプト方言で、正則アラビア語ではマルジャーンと言うのですが、これは元々サンゴの意味です。サンゴのような色をした魚なのでムルガーンと呼ばれているわけです。

ムルガーンにもいくつか種類があるのですが、赤っぽい色の鯛は全部まとめてムルガーンと呼ばれており、種類ごとに呼び分けたりはしないようです。「この魚は何?」「ムルガーン」「これは?」「ムルガーン」「え。でもこれとこれ、違う魚じゃん」「でも両方ともムルガーン」

といった会話が成立するわけです。なお私は、「ピラミッドを破壊せよ」のムルガーン師の名前を聞くと、どうしても瞬時にこの赤い魚を思い浮かべてしまうのですが、実際同じ名前ですし、魚の方が身近な存在だったのでやむを得ません。

鯛や舌鮃もいいのですが、私が最も好きな魚は青魚です。とりわけ大好きなのがイワシです。

イワシは私が留学していたモロッコでは最も安く、最も一般的な魚で、私の住んでいた海辺の小さな町の市場でもよく売られていたので、「シュトン」と呼ばれる小さなサイズのイワシを本当によく買っていました。モロッコにはハエがたくさんいて、日本のハエとは趣味嗜好が違うのか、やたらと人の顔や体にたかって非常に鬱陶しいのですが、友人は私にハエがたかるのを見ると「ハエは魚をよく食べる人にたかるんだ」と言って笑っていました。モロッコでは、虫に好かれる人は異性にモテる、とも言われています。信憑性は定かではありません。

カイロでも、行きつけの魚屋でイワシを見つけた時には必ず買っていました。イワシは足が早いので、とにかくすぐさま処理をしなければなりません。買ってきたら即座に頭と骨と内臓を取り除きます。小さいイワシとなると、キロ買いなので量もものすごいのですが、これを無心になってひたすら処理していきます。それを南蛮漬けにしたり、すりつぶしてつみれにしたり、梅や生姜で煮たり、一度ソテーしてからトマトソースとチーズをのせてオーブン焼きにしたりします。

「革命」という名の魚

見つけると嬉しい魚がサワラです。サワラのことをエジプトではデラークと呼ぶのですが、あるとき魚屋さんに「デラークは日本ではなんと呼ぶのか」と聞かれ、「サワラだよ」と答えると、「おおーっ！　それは革命魚ではないか！」と興奮していました。

いわゆる「アラブの春」のことをエジプトでは「革命」というのですが、革命はアラビア語で「サウラ」です。サワラがこの「サウラ」に似ているので、革命の魚だ！と思って嬉しかったらしく、魚屋仲間や隣の果物屋さんのおじさんにまで「知ってるか？　デラークは日本では革命っていうんだぞ！」と触れ回り、なんとなく周囲が全体的に「おおー」という雰囲気に包まれました。当時のエジプト人にとって革命（サウラ）というのは、その言葉を聞いたり言ったりするだけでも何となくちょっと興奮する、そういう存在でした。

ところでサワラは、昆布締めや味噌漬けにしたり、柚庵焼きにしたりして食べるのが定番でした。これとお味噌汁と浅漬けでもあれば、もう立派な和食です。

私の魚探しは、近所の魚屋だけにはとどまりませんでした。近所の魚屋では魚の種類が限られており、どうしても満足できなかったからです。そんな時に足を向けていたのが、ウブールという市場です。

ウブールは生鮮食品の総合市場です。野菜や肉も売られていますが、私はいつも魚だけを目当てに行っていました。

魚市場は三棟あり、一棟は冷凍魚専門です。そこではタコとサバを買うのが常でした。冷凍の生タコは持ち帰って丸ごと茹でます。タコは生の状態だと色も白っぽく、形もだら－んとしているのですが、茹でると急に赤くなり、足もグリンと反り返って、急にタコらしい色形になります。ゆでダコはそのまま食べたり、アヒージョや唐揚げにしたりしました。よく関西出身の友人の家に持っていって、たこ焼きパーティーもしました。

冷凍サバは15キロ入りの一箱買いをしなければならないので、冷凍庫に入りきらない分は友人にあげていました。昭和の日本のようですが、食材をあげたりもらったりするのはカイロでは普通でした。親しくなると、人の家の冷蔵庫を勝手に開けて食材を漁ったりビールを勝手に取り出して飲んだりしていたので、昭和の日本ですらないような気もします。そもそも「カイロでは」というのもおかしくて、私の周囲だけかもしれません。

この冷凍サバは実は、日本から輸入されてきたものでした。体長30センチほどの小ぶりのもので、このサイズのサバは日本ではあまり需要がなく、外国に安値で売っているようです。日本のサバ業者も、まさかエジプトに輸出した日本のサバを彼の地で日本人が買っているとは思っていないだろうなあと想像すると、少し楽しい気分になります。

サバはその都度解凍して、塩焼きにしたりサバ味噌にしたりして食べます。日本人の食卓にサバは欠かせません。

カイロの蟹工船

残りの二棟は鮮魚市です。

エジプトでお馴染みのボラやティラピア、大ナマズなどももちろんいるのですが、ここでの楽しみは刺身で食べられるくらい新鮮な魚を探すことと、レア魚を探すことです。

日本人たるもの、生魚を刺身で食べる誘惑にはどうしても勝てません。市場の人たちも私が刺身になりそうな魚を物色しているのを察知してか、あれやこれやいろいろ勧めてきます。お兄さんは山と積まれたエビを一尾手に取り、「食べな!」と差し出してきます。「食べな」と言われてもやっぱりサルモネラ菌とか心配だし……とこちらがあからさまに躊躇していると、お兄さん自らエビの殻を剝き、「オレを見ろ!」と言って口に放り込みます。

目の前でそこまでされたら、刺身の国日本の代表として、引き下がるわけにもいきません。いや、別に私は全然日本代表ではないのですが、状況的にそのような立場に追い込まれた感じだったのです。私も殻を剝き、どうにでもなれ！という気持ちで口に入れました。

甘い！

想像以上の甘さです。日本で売られている甘海老とは見た目も大きさも随分違いますが、生で食べても相当甘いエビでした。せっかく勇気を出して食べたので、これはもう大量買いしました。

エビは大量買いすると頭と殻、背腸《せわた》を取る作業が大変なので、友人を何人か動員して作業してもらいます。

我が家はカイロに赴任している単身男性や独身男性のたまり場と化していて、みんながよくご飯を食べにきていたので、私にエビの殻を剝けと言われるとなかなか断りにくい雰囲気がありました。大の大人が並んで黙々とエビの殻を剝く姿は蟹工船を彷彿とさせるものがあり、なかなかシュールです。

マグロを1匹買ってきて自分でおろしたこともあります。日本の寿司屋などでやっている解体ショーで使われるような巨大マグロではありませんが、そこそこのサイズのマグロです。自分で解体してみると、「おお！　こんなところに大トロが！」といった新鮮な驚きがあり、割と楽しかったのですが、とてつもない体力、労力と時間を費やすことになったため、一度でやめました。

なおマグロの大トロがあまりにも美味しそうだったので、勇気を出して刺身で食べたのですが、私と拙宅に遊びに来ていた友人は無事だったものの夫は見事にあたり、その夜から数日間、食中毒で苦しみ続けていました。やはりあまりお勧めはできません。

ウナギをおろして蒲焼きにしたこともあります。ナイル川にはいわゆる「ヨーロッパ・ウナギ」が生息していて、エジプトでは「ナイルのヘビ」と呼ばれており、稀に市場でも売られています。エジプトには、ウナギをぶつ切りにしてフライにしたり、オーブンで焼いたりする料理もあるのですが、私は日本人なので、ウナギを料理するとしたら蒲焼き一択です。

日本のウナギ屋さんはいとも簡単に捌いているように見えますが、一度自分でやってみて、ウナギの皮の硬さに辟易としました。思わずウナギ氏に「え。あんた、こんなに皮硬かったの？」と言いたくなるような、見た目のヌルっと滑らかな感じを完全に裏切る硬さです。

私はもう長いこと、「グローバル」というステンレス一体型構造の包丁一本だけで何でもかんでも作る、という独自スタイルを貫いてきたのですが、これでは前出のマグロやウナギにはなかなか太刀打ちできません。そもそもウナギに包丁が突き刺さらないので、縦に切るのも困難ならば、三枚におろすのも大変困難で、疲労困憊しました。骨を使ってタレも作り、そこそこ本格的な蒲焼きが出来上がってそこそこ美味しかったのですが、これもあまりにも大変だったため、二度目はありませんでした。

他にも新鮮なイカでイカ刺しを作ったり、新鮮なアジらしき魚でなめろうを作ったり、ブリらしき魚を捌いてブリしゃぶにしたり、カマスらしき魚を捌いて干して干物にしたりしました。私は特に魚に詳しいわけではないので、それらが本当にアジやブリやカマスだったのかはわかりません。顔や味が私の知っているアジやブリやカマスに似ていた、というだけのことです。そう考えると、「私の食べていた魚は本当は何だったのだろうか？」という疑念も湧き起こりますが、美味しく食べられたのなら何でもいいか、という気もします。

新鮮かどうか、刺身でいけそうかどうか、と判断するのも、自分の感覚だけが頼りです。日本の魚屋やスーパーで魚が「刺身用」と明記されて売られるようになったのはいつからか知りませんが、エジプトにはそんな親切な制度はありません。頼れるのは自分だけです。

私たちは何か食べたいものがあると、みなで食材や知恵を出し合い、協力して作ってみることもよくありました。

餃子にビールの誘惑

頻繁にやっていたのが餃子パーティーです。餃子とビールという組み合わせは、日本人にとっては場所を問わず、たまらない誘惑なのです。

エジプトは国民の9割が豚肉を食べることを禁じられたイスラム教徒ですが、カイロには、どこからか冷凍の豚肉を仕入れてきて日本人を相手に月に一～二度即売会を開いている人や、外国人向けに輸入ソーセージなどを売っているドイツ人などがおり、頑張れば豚肉を手に入れることができました。世界にはいろいろな商売をしている人がいるものです。

餃子作りはまず、そういった場所に車で乗り付けて豚肉を大量に買い込むところから始まります。問題は皮です。日本から出張者や客人がくる際には餃子の皮を大量に持参するように依頼し、手に入ったらすぐさま冷凍しておきます。餃子の皮を作ったこともあるのですが、一枚一枚薄く伸ばす作業がものすごく大変で時間がかかりすぎ、一度でへこたれました。

ニラやネギ、白菜はそれらしきものがエジプトにも売っています。ニンニクやショウガも手に入ります。

餃子パーティー開催時にも参加者に動員をかけるのですが、多くの人は出来上がって食べる頃になってようやく現れます。明らかに面倒くさがっていて実にけしからんのですが、酒を多く持参するなどの贖罪によって相殺する、というごく緩いルールでなんとなくやっていました。餃子の他にも、いろんなものを作ったり食べたりしながらお酒を飲むのは、カイロ生活の数少ない楽しみのひとつでした。

何事にもこだわりのある人が長大な時間をかけて作ったという料理が微妙な出来栄えだったり、普段料理をしない人が作った「作品」がとんでもなくマズくて誰も食べられなかったり、そういったバカバカしい一つひとつの出来事が、なぜか記憶に鮮明に残っています。

エジプトはイスラム教を国教とするイスラム教国ですが、人口の1割ほどがキリスト教徒だということもあり、酒は比較的容易に入手できます。私が住んでいたザマレクという地域には酒を出す店も多く、キリスト教徒が経営する酒屋もありました。

当時はまだかなりの大酒飲みだった私は、これまた大酒飲みの友人たちが頻繁に遊びに来るので、自宅には常に結構な量の酒をストックしていました。ただしなんとなく、うちのサラフィー運転手に「酒屋に行きたい」と言い出しづらく、また彼に酒を運ばせるのもなんとなく嫌だったため、いつも酒屋に電話をし、自宅に配達してもらっていました。

エジプト三大メジャー・ビールは地元産のステラとサッカーラ、それに現地工場のあるハイネケンです。どれも薄めのさっぱりテイストではあるのですが、ステラよりサッカーラの方が若干コクがあるような感じがして、また同じさっぱりめでもステラよりハイネケンの方が若干美味しいような気がして、我が家にはサッカーラとハイネケンを常備していました。サッカーラには、アルコール度数4％のサッカーラ・ゴールドに加えて、サッカーラ・キングという製品もあります。こちらもビールなのですが、アルコール度数10％で、なんとも言えない強烈な濃さゆえになかなか進まないのが特徴です。ビールというのはアルコール度数が高ければいいというものではない、ということがよくわかりました。

ビールに飽きるとワインかウイスキーに進むのが常で、友人たちが出張時に買ってきたものやエジプト産のちょっとイマイチなものが定番でした。私は個人的には焼酎が好きなため、どこからか焼酎がもたらされるとものすごく嬉しかったものですが、嬉しいのは皆同じらしく、一本あってもあっという間に飲み尽くされ、ゆっくり楽しむ余裕など全くありませんでした。

バットを杵にして餅をつく

思い返すと呆れるほどの頻度で、しかも毎回浴びるほど酒を飲んでいましたが、おそらく他に楽しいことがなかったのと、家飲みなので「看板」もなく、眠くなると人の家でも勝手に寝たりしていた、という気楽さが大きかったかもしれません。日中は皆それぞれに張り詰めた緊張感の中で仕事をしていますし、毎日何かしらヘンなことが発生するので、酒を飲みながら、そうしたどうでもいいことを話しつつ管を巻くのが、ストレス解消になっていたようなところもあります。

ある年末には、誰かが急に「餅が食べたい」と言い出し、みんなで作ってみたこともあります。中国食材店から餅米を入手し、とりあえず炊いてはみたものの、臼と杵などというものは当然ありません。代用品として誰かが思いついたのが金属バットです。私たちはソフトボール・チームを作って毎週練習していたので、バットならあったのです。

とりあえずバットをきれいに洗浄し、ラップでぐるぐる巻きにします。炊き上がった餅米を一番大きい鍋に入れ、むやみやたらにバットでついてみました。二人がかりで鍋を押さえつけ、一人がバットで餅をつきます。つくといっても上からトントンするくらいしかできないので、力も入らないし、その割には疲れます。それでも交代しながら餅つきを続け、どうにか餅らしきものが出来上がりました。

みんなで小さく丸め、きな粉と砂糖をまぶしてきなこ餅にしました。

その美味しかったこと！

なめらかさも弾力性も「本当の餅」には遠く及ばなかったはずですが、それでもあまりにも久々に食べた餅は、たとえ「バット餅」であろうと、私たちにとっては最高でした。

餅などろくに食べたことのない娘は「バット餅」がいたく気に入り、それ以来、好物はきなこ餅だと言うようになりました。あなたの食べたのは餅というか「バット餅」なのだが……と多少申し訳ない気持ちになりましたが、娘が満足したならそれでいいのだとも言えます。

私たちが「ああ食べたい……」としばしば禁断症状にかられるもののひとつが、生卵でした。生食できる卵は、エジプトでは手に入りません。ここの卵ならば大丈夫といった情報はちらほらありましたが、私は試してみたことがありませんでした。

かわりに私は、手に入る中では最も高級な卵を買い、それで温泉卵を大量生産して冷蔵庫に常備し、生卵のようにご飯に乗せたり、すき焼きに使ったりしていました。これでもまあまあ、それらしくはなります。

ただ私たちにはひとつ、生食できる卵を入手するルートがありました。イスラエルです。イスラエルには生食可能な卵が売られているのです。私たちの仲間うちはみな時々イスラエルに出張に行くので、そこで卵を買って持ち帰るとヒーローのように迎えられました。

久々の生卵をご飯にかけ、欠食児童のごとく豪快にかき込んで「うまー!」と心の底から言った友人の姿をよく覚えています。日本だったらなんの感動もない卵かけご飯が、エジプトでは大の大人にこれほどの感動をもたらす存在となるのです。

私は決して、「エジプト生活は素晴らしかった」と美化したり、称賛したりしたいわけではありません。しかしなんでも手軽に安価に手に入る日本から遠く離れ、驚くほど何も手に入らない地に暮らすと、一つひとつのものの価値、ありがたさが身に染みます。希少品を入手した時、仲間内でそれを分け合って食べる喜びは格別です。大人が集まり卵かけご飯を食べてみんなで感動する会など、日本でふつうに生活する人が聞いたらまるでコントですが、そんな小さな喜びを限りなくありがたく感じることのできた生活は、ある意味幸せだったようにも思い出されます。

5

出エジプト

シェルターに避難する人々。

死はいつも身近にある

私が住んでいた2011年から2015年にかけてのエジプトは、政治、経済、社会、治安の全てが不安定で、あらゆる面において混乱していました。治安がいい時期というのはあまりなく、悪い状態が恒常化しており、時には極めて悪くなりました。

爆弾テロや銃撃、誘拐などが頻発する時期もありました。自宅の近所を含め、カイロ市内で毎日数回これらの事件が発生するようになると、私は被害にあうのを避けるために極力外出を控え、「家にいる」ようになりました。

出かけるのは週一回の買い物と、自宅の道を挟んだ反対側にあるゲジラ・スポーツクラブと、近所の友人宅だけ、という日々は長く続きました。

「家にいる」というのは、2020年から始まったコロナウイルスのパンデミック時にとられた感染予防策と類似しています。私は当時タイの首都バンコクに住んでおり、タイでは学校や店が閉鎖され、非常事態宣言と夜間外出禁止令が出されたため、週一回の買い物以外はずっと家にいるという毎日が数カ月間、断続的に繰り返されました。

しかし「外国で非常事態宣言が出される中、ずっと家にいる」という状況は同じでも、私にとってはエジプト時代の方が遥かに苦痛でした。移動が制限され自由が大幅に失われてはいても、少なくともコロナウイルスは家の中に勝手に押し入ってくることはありません。ウイルスに対しては相当程度、自衛できるのです。家に留まり、手洗いや除菌など予防策を徹底しさえすれば家族も自分も感染する可能性は限りなく低い、という安心感がありました。

ところがエジプトの場合は、たとえ家にいたとしても、いつ暴徒が家に押し入り自動小銃を乱射しないとも限りません。実際、そういった事件の前例はありますし、武装したムスリム同胞団員が我が家の近くまで攻め込んできたこともあれば、すぐ近所で銃撃戦が勃発したこともあります。こういった相手に対しては、自衛という言葉は虚しく響くだけです。ほんの少し外出する際も、いつ流れ弾が飛んでくるか、どこに爆弾が仕掛けられているかわかりません。安心できる場所がどこにもなく、安心できる瞬間もないのです。こういった状況は、想像以上に人の心を蝕みます。

私自身は、物心ついた時から「死」とそれほど縁遠い人生ではありませんでした。私には先天性の病気があり、小学生の時に死ぬ可能性があると医者から宣告されて以来、「死」を意識せざるをえなくなったからです。「死」はいつも身近にあって、私もいつ「そちら側」

に行ってもおかしくはないのだという認識は、今に至るまで変わりません。

それは「死んでも構わない」とか「死にたい」という意志とは全く異なります。人はどのような意志を持っていようと、死ぬときは死にます。人生というのはままならないものだ、という一種の諦観です。

一方で今の私には、何としてでも守らなければならない娘がいます。夫は出張が多く留守がちだったため、何かあっても一人でどうにかしなくてはならないというプレッシャーもありました。いくら人生がままならないものだとはいえ、自分の不注意によって我が子が流れ弾や爆弾の犠牲になるようなことは、何としてでも避けなければなりません。

精神的に張りつめた状態が続くと、どうしても疲弊していきます。それは時には、自分自身で「私は精神的に疲弊している」と認識できる水準にまで達しました。

そんな私にとって、最大の息抜きは「出エジプト」でした。

治安の悪いエジプトから脱出し別の国に行くことを、私はいつからか「出エジプト」と呼ぶようになっていました。

「出エジプト」の行き先として最も頻度が高かったのは、イスラエルのテルアビブです。カイロとテルアビブの間には直行便があって、飛行機に乗りさえすれば1時間ちょっとでテルアビブ入りすることができました。

旧約聖書によると、預言者モーセは「出エジプト」後、「約束の地」に入ることを許されず最期を迎えたとされていますが、21世紀を生きる私にとってエジプトからイスラエル入りするのはいとも容易く、モーセに申し訳ないくらいです。また私が連れて行くのはモーセと違ってユダヤ人たちではなく、小さな娘ただ一人なので、実に身軽です。モーセの苦労が改めて偲ばれます。

私がテルアビブを気に入っていたのは、そこがカイロから近いだけではなく、私にとって中東随一の自由で世俗的な街だったからです。タンクトップに短パン、スリップドレスやワンピースを着た女性たちが、髪をたなびかせて歩いています。男性も女性も足元はビーチサンダルで、ラフなことこの上ありません。テルアビブでなら私も、そうした身軽な格好で歩くことができるのです。

服装や髪型の自由への愛

イスラエルは1948年に建国されたユダヤ人が多数派を占める国ですが、ユダヤ教は国教とは定められていません。テルアビブにもユダヤ教の伝統的戒律を厳密に守って暮らす超正統派のユダヤ人は存在しますが、ユダヤ教の戒律や生き方、暮らし方は他のイスラエル国民にも、イスラエルを訪れる外国人にも一切強制されません。街の雰囲気も人の様子も極めて自由です。

エジプトと大きく異なるのはその点です。エジプトはイスラム教が国教であるだけでなく、街にも社会にも、人々にもその暮らしにも、イスラム的価値観が強く反映されています。

街中では、イスラム教徒女性のほとんどが頭髪と首元をヒジャーブと呼ばれるスカーフで覆い隠しています。また大多数の女性は一年中、肌を露出する服装はしません。露出しないといっても、胸元をはだけないとか短いスカートを履かない、といった程度ではなく、腕や脚は必ず覆い隠し、露出しているのは手首から先と顔だけというかなりの徹底ぶりです。

ですから私も、街中へ出る際には長袖や長いスカートで肌を露出させないようにし、場合によってはスカーフを被りました。イランとは異なり、エジプトではスカーフの着用が法律で義務づけられているわけではありませんが、街中で露出度の高い格好をすると、じろじろと見られて自分の居心地が悪いだけでなく、犯罪の誘発にもつながるからです。

私は日本人ですので、「郷に入っては郷に従え」という精神を重んじています。たとえ外国人であっても、エジプトに住む以上はエジプトの価値観を尊重し、人々の慣行に倣うべきだと心得ます。

しかしそう心得てはいても、それを実践し続けるのは苦痛ではないと言ったら嘘になります。

　私はもともと、服装や髪型の自由をこよなく愛する人間です。人生で唯一制服を着なければならなかった中学時代には、垢抜けなくて野暮ったい制服が嫌でたまらず、少しでも可愛く見せようとスカートを極端に短くしたりして、よく叱られました。高校時代以降は比較的自由だったので、好きな格好をし、髪の毛も長くしたり短くしたり、クルクルにしたり、妙な色に染めたり、やりたい放題でした。

　大学時代の指導教官のひとりは、私のスカートが短すぎるとか、その髪の色はやめて今すぐ黒く染め直すべきだなどとひどくお説教する人で、すごく嫌でした。この先生は、万国の抑圧された人民は連帯して世界革命を起こせ！　帝国主義を打倒せよ！　と主張していましたが、こういうイデオロギーを掲げる人に限って他者、特に私のような「年下」の「女」に対して、極めて抑圧的であったり権威主義的であったりするのはひどく矛盾しています。当時の私は、パレスチナ人は抑圧から解放されなければならないと主張するこの先生によって私が抑圧されるのは不当である、と憤慨したものです。

　時代を経てさすがの私も髪を妙な色に染めたり、奇天烈な格好をしたりするのはやめましたが、それはあくまでも自らの意志によるものです。自らの意志に反して酷暑の中、腕も脚も隠し、髪の毛も首もスカーフで覆い隠すというのは、肉体的にも精神的にも苦痛です。

テルアビブならばどんな格好をしていてもじろじろ見られることもありませんし、セクハラ被害にあうこともまずありません。自由な服装が人にもたらす肉体的、精神的プラス効果は絶大です。

エジプトにはないものばかり

夜、外で食事をしたり酒を飲んだり、街を歩いたりすることもできます。美味しい豚肉料理を出す店も、シーフードの店も、おしゃれなカフェやバーも、いくらでもあります。「新しいチョコレート文化の創造」を掲げるマックス・ブレナーは、ドリンクやフォンデュなどが個性的な器に入って出されるチョコ尽くしの店で、チョコ好きの娘と私にとってはたまらなく魅力的です。イスラエル人の友人はある時、テルアビブ市内の高層マンションを指差して、マドンナはあそこの最上階のペントハウスを買おうとしているらしいよ、と教えてくれましたが、私はそこよりもマックス・ブレナーの上に住めたら幸せだなあと思ったものです。

のぞいているだけでも楽しい、粋なアクセサリーや雑貨の店も多くあります。私の一番のお気に入りは、火曜日と金曜日に野外で開催されるクラフト・マーケットです。アーティスト自身が露店に自分のオリジナル作品を並べて売るシステムで、キラキラ輝くガラス細工やカラフルな工芸品、個性的なアクセサリーなどに、娘も私も時間を忘れて見入りました。何度も行っていたために顔見知りのアーティストもでき、以前買って壊れたアクセサリーを持っていくと修理してくれたりもしました。

エジプトには存在しないもの、エジプトではできないことばかりで、これはもう、私にとってはたまらない誘惑です。

テルアビブは真っ青な空で知られる海辺の街で、ビーチ沿いにはリゾートホテルが連なっています。私は大概それらのどこかに宿を取り、娘と海で遊んだり、ビーチを散歩したり、街中の市場や繁華街をぶらぶらしたり、買い物をしたりして過ごしました。たいしたことはしないのですが、抜けるような青空の下、自由や解放感を味わえるだけで大いにストレスが解消されるのが実感されました。

ロケット弾攻撃の下で

他方、自由と解放感を満喫するためにやってきたはずのテルアビブでは、予期せぬさまざまな経験もしました。

最も記憶に残っているのは、２０１４年7月にガザからイスラエルに対して大規模なロケット弾攻撃があった時のことです。その時も私と娘はテルアビブにいました。イスラム過激派組織ハマスやイスラミック・ジハード（イスラム聖戦）がガザ地区からロケット弾を発射すると、テルアビブの街中に「ツェヴァ・アドム（レッド・カラーの意）」という警報サイレンが鳴り響きます。「ツェヴァ・アドム」のスマートフォン・アプリもすごい勢いでロケット弾発射を知らせてくれます。タクシー運転手は車内でラジオをつけっぱなしにしていることが多いのですが、ロケット弾が発射されると「ツェヴァ・アドム・イエルシャライム（エルサレムにレッド・カラー）」といった具合に、着弾地点についての情報が直ちにカットインされます。

私が最初にサイレンを聞いたのは、テルアビブ市内のレストランで早めの夕食をとっている時でした。イスラエル人は皆慣れているので、粛々と店員の誘導に従って店に設置されたシェルター（防空壕）に入り、扉を閉めて、サイレンが鳴り止むのを待ちます。サイレンが鳴り止むと、みなシェルターから出て席に戻り、何事もなかったかのように食事を再開します。

当時は既にアイアンドームという防空システムの精度がかなり向上しており、テルアビブをロケット弾が直撃する可能性は劇的に下がっていました。飛んできたロケット弾を上空で迎撃する瞬間も、容易に目撃することができます。その様子を、まるで花火でも見るかのように眺めて楽しむ強者たちもいるほどです。

それでも私は、いつでもどこでもサイレンが鳴れば、直ちに娘を連れて近くのシェルターに逃げ込みました。いくらアイアンドームがあるといっても迎撃の確率は１００％ではありませんし、娘を万が一にも危険な目にあわせるわけにはいかないからです。

近くにシェルターがない場所では、周囲の人の真似をするに限ります。多くの場合、とりあえず壁か大きな柱に寄ることが重要です。プールや海では、直ちに水からあがり、係員の指示に従います。

ホテル内ではサイレンが鳴った場合、宿泊客は全員非常階段に避難するよう指示されていました。様々な国から来た色々な言葉を話す人たちと共に、みなパジャマを着た状態で非常階段に座りこんでサイレンの鳴り止むのを待つのは、実に奇妙な気分です。人々の面持ちも、心なしか神妙に見えます。

非常階段はガザ地区の反対側に設置されているのですが、斜め上空からロケット弾が突き刺さってきたら一巻の終わりなんじゃなかろうか、などと想像したりもしました。こういう時はとにかく、考えうる最悪な状況を想像するのが私の癖です。娘だけでも守らなければという思いで娘を抱き抱えてはいるものの、そんなものでは到底守りきれないだろうという冷静な自分もいます。その時は高層ホテルに泊まっていたので、ロケット弾が建物を直撃したら倒壊して終わるかもしれない、などとも考えました。サイレンはかなり長い間鳴り続けることも多いので、こうした負の想像力を巡らせる時間がたっぷりあるのです。

サイレンが鳴るたびに、寝ている娘を起こして非常階段まで連れて行ったり、大急ぎでシェルターに逃げ込んだりするのはなかなか難儀でしたが、娘はそのハプニングを楽しんでいるようでした。サイレンが鳴り私が「ほら逃げるよ！　走って！」と促すと、小さいなりに頑張って走ります。遊んでいる最中に「ママ、今日もサイレン鳴るかな？」とワクワクしたように聞いてきたりもしました。

我が娘はとにかくどんな時でもポジティブで明るいのが取り柄で、エジプトで停電が頻発し、真っ暗な中「またか……」と私がうんざりしていても、即興で歌を作ったり話を作ったりして暗闇を楽しんでいました。

人生には予期せぬ出来事が付き物です。何ごとにも動じない娘を見ると、もう少し危機感を持たないと危ないのではないかと思う反面、人生を強く生き抜いていけそうな頼もしさも感じます。

娘は4歳にして、私は38歳にして、ロケット弾攻撃やら警報サイレンやら防空壕やらを偶然経験することになりましたが、イスラエル人は赤ちゃんの時からその世界を所与のものとして生きています。こちら方の人間を殺傷する意図を持ってロケット弾が次々と撃ち込まれる状況は、アイアンドームがあっても十分に恐ろしいものです。実際に今でも、ハマスやイスラミック・ジハードのロケット弾攻撃によって死亡するイスラエル人はいますし、家や幼稚園などをロケット弾が直撃するケースもあります。

死刑宣告を誰ができるのか

イスラム過激派による攻撃の危険性に常に晒されているイスラエルという国は、常時戦争状態にあるようなものです。それは間違いなく、この国の現実の一面です。イスラエルの高い軍事技術、情報技術の背景にあるのはこの切迫した状況であり、それらの技術発展がイスラエル国民の命を守ることに直接貢献していることを、ここでは目で見て確かめることができます。この国には、イスラム教やイスラム過激派の問題が綺麗事として語られる余地はありません。

私は大学生の時に一時期ヘブライ語を学んでいたのですが、共に学んでいたメンバーの一人に親パレスチナ、反イスラエルの日本人中東イスラム研究者がいました。その人はある日突然、教師だったイスラエル人男性に対して、お前の国イスラエルは野蛮な帝国主義国家でありパレスチナの地を不当に占領している、イスラエルという不正国家は破壊されなければならず、お前のようなシオニストは殲滅されなければならない、と一方的にまくしたてました。

シオニストとは、「シオンの地」にユダヤ人の拠点を再建しようという思想（シオニズム）を持つ人を意味します。中東イスラム研究者やイスラム教徒は、自分たちは決して「ユダヤ人」を差別しているわけではなく、パレスチナ人を蹂躙しパレスチナの地を不正に占領する「シオニスト」を非難しているだけだと正当化しますが、特定のユダヤ人を標的にしている事実は変わりません。

イスラエルを敵国として名指ししているイランの最高指導者ハメネイ師は２０２０年５月22日の「エルサレムの日」に、「シオニスト政権（イスラエル）は致命的なガン」であり「根こそぎ破壊すべき」だと演説し、イスラエルを破壊するための戦いは「神の道におけるジハード」であり、それはイスラム教徒にとっての義務だと呼びかけました。日本人研究者のロジックは、イランのロジックに重なります。

私は日本の中東イスラム研究者のほぼ全員が親パレスチナ、反イスラエルだということを知ってはいましたが、イスラエル人を目の前にして、お前も、お前の祖国の存在も不正である、死ね、滅べと言い放つ人を見たのは、この時が初めてでした。自分を正義だと信じて疑わない人は、自分とは異なる考えを持つ他者に対してこれほどまでに不寛容かつ暴力的になれるのかということに、正直驚きを隠せませんでした。

教師だったイスラエル人は、それがパレスチナ人の主張であることは知っている、だが日本人でありイスラム教徒でもないあなたが一方的にパレスチナ人の側に立ち、シオニストは殲滅されなければならないなどと差別的な主張をする正当性はどこにあるのか、と言い返しました。しかし日本人研究者は、オスマン帝国支配下のパレスチナではイスラム教徒とユダヤ人が平和的に共存していた、それ以前もパレスチナは間違いなくパレスチナ人のものであった、シオニストがそこを占領したのだ、と譲りません。教師は「あなたには異なる考えを持つ他者に対する尊重というものが完全に欠如している」と怒って帰り、授業は潰れてしまいました。

日本人研究者はその後も、シオニスト野郎に言うべきことを言ってやった、奴が帰ったということは負けを認めた証拠だ、と意気揚々と語り続けました。

一緒に学んでいたメンバーの中には、日本に住んでいるユダヤ系のイラン人女性もいました。自分はユダヤ人だがヘブライ語がわからないことを恥ずかしく思っていた、日本でようやくヘブライ語を学ぶチャンスに巡り合うことができて嬉しいと語っていた彼女は、日本人研究者のイスラエル非難をその時は黙って聞いていました。私と親しくしていた彼女は日本人研究者がその場を立ち去った後、「中東が平和になることはないね」と言ってきました。私も「そうだね」と答えました。

他者を尊重する気持ちさえあれば

研究者であろうとなかろうと、各人がそれぞれの政治的信条を持つのは自由です。しかしどのような信条に立脚していようと、異なる考えを持つ他者に対して、お前たちは殲滅されねばならないなどという言葉を投げつけるのは、研究者としては言うまでもなく、人間としてもあるまじき行為だと私は思います。

日本の中東イスラム研究者のほとんどは、アラブ人でもイスラム教徒でもありません。しかし彼らはパレスチナのみに正義があると頑なに信じ、「占領国家」イスラエルとシオニストを口汚く罵倒する人に喝采を送ります。そしてその立ち位置こそが正しいと信じ込むあまり、自らの独善性、他罰性に対しては全く無頓着です。

中東イスラム研究業界に自分の居場所はないな、と私が思い始めたのはおそらくこの頃からです。

世界には本当にいろいろな人がいて、いろいろな思想・信条を持って生きています。私が研究しているイスラム教もそのひとつです。イスラム教徒の唯一神に対する強い信仰心、彼らが「唯一の真実」と信じる世界観は、私たちとは非常に異なっています。

信仰も世界観も全く異なってはいても、私にはイスラム教徒の友人や仲間がたくさんいます。互いに他者を尊重する気持ちがあれば、譲りあうことの難しい普遍的な問題については回避しつつ、付き合うことはできるのです。

しかし異なる考えを持つ他者を尊重する気持ちのない人とは、最低限の付き合いを成立させるのも大変困難です。例えばムルガーン師のようなイスラム教徒と、私は仲間や友達として付き合うことはできません。向こうも、そんなものはまっぴらごめんだと言うでしょう。

一方で私は、例えばうちのサラフィー運転手とは一緒に仕事をしたり、食事をしたり、笑いあったりすることも、大切な娘を預けることもできます。それは心から打ち解けあい、共感し合える関係とは異なりますが、たとえ日本人同士であっても仕事仲間にはそんな関係を求めないのが一般的でしょう。互いの間に尊重と敬意があれば、信頼関係を構築することは可能です。そして、それで十分だと私は思います。

私から見ると、ヘブライ語の先生を罵った日本人中東イスラム研究者の排他性は、ムルガーン師のそれと同類です。彼にはサラフィー運転手の持つ柔軟性、他者への尊重、敬意はありません。

異文化間の架け橋となるべき中東イスラム研究者が、率先して考えの異なる他者を否定し罵倒するとは、嘆かわしいにも程があります。中東イスラム研究業界全体のこうした偏向が、日本で中東やイスラム教についての正しく客観的な理解が全く広まらない一大要因であると私は思います。

テロリストの疑いをかけられる

イスラエル訪問でもうひとつ強く印象に残っているのは、テルアビブからカイロに戻る便が欠航になってしまった時のことです。

この時も私は娘と二人でテルアビブにいたのですが、トラブルは空港でのチェックインの段階から既に始まっていました。私と娘がチェックイン・カウンターに並んでいると、前にいたアラブ人の若者が英語で「エジプトに行くの?」と話しかけてきたのです。私はついうっかりアラビア語で返事をし、ついうっかりそのまま彼とアラビア語で会話を続けてしまいました。

すると突然、ブルーの制服を着た険しい顔の女性係員に腕を掴まれ、「ちょっと来い」と別室に連行されました。見ると、私と話をしていた若者も男性係員に連行されて行くところでした。即座に、「あ。これはやってしまった」と悟りました。

かつてロッド空港（現在はベン・グリオン空港）と呼ばれていたテルアビブの空港では1972年、のちの極左テロ組織「日本赤軍」の母体である共産主義者同盟赤軍派メンバー3人が、自動小銃の乱射と手榴弾の投てきにより24人を殺害、76人を負傷させるというテロ事件を起こしました。

事件の背景にあったのは、赤軍派とパレスチナ解放人民戦線（PFLP）との「共闘」関係です。彼らは共同武装闘争により世界同時革命を実現させ、抑圧された人民の解放、世界の共産主義化を目指す旨で合意しており、PFLPの協力要請により赤軍派が実行したのが同事件でした。実行者はのちの日本赤軍最高幹部・重信房子と偽装結婚した奥平剛士（当時27歳）と、京都大学の学生だった安田安之（当時25歳）、鹿児島大学の学生だった岡本公三（当時25歳）の3人です。奥平と安田は事件時に死亡、唯一の生き残りである岡本はイスラエルで終身刑判決を受けた後、捕虜交換で釈放され、イスラム教に改宗し、現在もレバノンで「パレスチナ解放」を目指す組織の保護下に暮らしています。

つまり、テルアビブの空港でアラブ人と話をしている日本人というのは、イスラエル当局から見ると極めて怪しい、ということです。

案の定、別室で係員に詰問されます。

「お前はアラブ人と話していたな。いつからの知り合いか？」

「チェックイン・カウンターで並んでいる時に初めて会いました」

「証拠は？」

「証拠はありませんが、監視カメラをチェックすれば明らかだと思います」

「ところでなぜお前はアラビア語が話せるのか？」

「イスラム教の研究者だからです」

「お前はイスラム教徒か？」

「違います」

「ではなぜイスラム教徒でもない日本人がイスラム教を研究しアラビア語を話すのか？　極めて怪しい。説明しろ」

こうした質問が永遠と続きます。私は後ろめたいところなど全くないので、聞かれたことに正直に答えるだけなのですが、畳み掛けるような矢継ぎ早の質問と、その高圧的な口調にはほとほとうんざりしました。

次々に質問をするのは、相手が嘘を言っていないか、回答に矛盾はないかを確かめるためだと言われています。彼らは間を空けて同じ質問もします。一回目の回答と二回目の回答に齟齬がないかを確認するためです。小さな嘘や過ちでもとんでもない誤解や大問題につながったりするので、注意が必要です。

さらに加えて、彼らは何かというと「証拠を見せろ」と言うので、そんなものあるわけないだろ、そんな証拠をいちいち所持していたらそっちのほうがよほどおかしい、どうしても欲しければエジプトに戻ってから証拠を送るからとにかく私をここから出せなどと言って、私も食い下がります。

おそらく彼らとしては、私が第二の岡本公三ではないことが確認できればいいわけです。執拗な尋問と徹底的な荷物検査の結果、一応疑いは晴れたらしく、無事解放されました。

イスラエル当局は間違いなく、一部の日本人はパレスチナ側と通じておりテロの実行に踏み切る危険もあると認識しているのだろうということを、この時確信しました。「平和」な日本では、ロッド空港事件はすっかり忘れ去られ、かつて日本人極左テロリストがイスラエルで大量殺人を犯したことを知る人はもはや少数ですが、「戦争」を日常的に生きているイスラエルでは、それは今も続く「テロ」という現実の一環です。

イスラエル人のヘブライ語教師に対して、罵詈雑言を浴びせた日本人中東イスラム研究者の顔が思い浮かびました。

「私がテロなんかするわけないだろ！」と大声で叫びたい気持ちもありましたが、ロッド空港事件のことを考えると、イスラエル当局が私をテロリストかもしれないという目で見るのも致し方ありません。彼らには私のような怪しげな日本人を徹底的に調べる権利も、義務もあるのです。

チェックイン・カウンターに戻ると、ちょうど私と同時に連行された若者も解放されて戻ってきていました。彼が「いやー、やっぱりここでアラブ人と日本人がアラビア語で話してたら、そりゃ怪しまれるよね。ごめんごめん」と謝ってきたので、「いやいやあなたのせいじゃない、ついうっかりアラビア語を話した私が悪いし、なにより昔ここでテロを起こした日本人テロリストが悪い」と返しました。

いつかどこかで再会するかもしれない

チェックイン後、予定の離陸時間をすぎてもカイロ行きの便の出発案内は全く更新されません。例の若者は友人と一緒におり、娘が二人と仲良くなって遊んでもらっていたので、私は搭乗口で同じ飛行機を待つ別の人たちとおしゃべりをしていました。エジプトに住みエジプト語を流暢に話す4歳の日本人の女の子というのは、彼らにとってはコアラやパンダといった「珍獣」以上の衝撃だったようで、飽きずに話したり遊んだりしていました。

延々と何時間も待たされた挙句、日が暮れた頃になってようやく、今日のカイロ便は飛ばないし、いつ次のカイロ便が飛ぶかもわからない、とシナイ航空の職員に告げられました。一同呆然とした後、大ブーイングが発生しました。

機体の不良が原因だと説明がありましたが、本当の理由はわかりません。乗客たちは「ここで屈してなるものか！」と、職員に対し補償を要求します。なんだかものすごい勢いで職員に食ってかかるインド人がいたので、他の人々は彼を取り囲み「そうだ！　補償しろ！」と何となく便乗して文句を言います。

結局、シナイ航空が乗客全員分のホテルをテルアビブ市内に手配し、次のカイロ便が飛ぶまでそこに滞在する、ということで落ち着きました。

カイロに帰るつもりが、テルアビブ市内に逆戻りです。しかし他にカイロに帰る手段もないので、言われるがまま従うしかありません。

一度出国したにもかかわらず、職員に連れられて再度イスラエル入国手続きをとりました。巻き戻って出国を取り消すという、稀有な体験です。私たちはバスに乗せられ、ビーチ沿いのリゾートホテルに連れて行かれました。

乗客たちの中には、共に同じ困難に直面したちょっとした運命共同体のような絆が生まれつつあって、一緒に食事をしたり話をしたりしているうちにお互いの事情もだいぶわかってきました。

私と話をしていて連行された若者とその友人は、東エルサレム出身のパレスチナ人で、カイロの大学の医学部で医師免許をとるための勉強をしていることがわかりました。彼はヨルダンのパスポートを持っていました。彼は、もう「抵抗」などという名の暴力行使はやめて、とにかくパレスチナ人もイスラエル人もみなが平穏無事に暮らせるようになることが一番だ、という意見を持っていました。テルアビブのリゾートホテルに泊らざるを得なくなったことについても、「正直嬉しい。大きな声じゃいえないけど、テルアビブは都会的だし清潔だし、すごく好き」と言っていました。

彼の友人のほうはハマスなどの「抵抗」を支持しており、イスラエルを評価する発言は一切しませんでした。

この時、エジプトに駐在しているオーストラリア人の外交官家族とも親しくなったのですが、この一家の奥さんに「私、実はイラクのアッシリア人なの」と言われて大変驚いたことを覚えています。彼女は子供の頃イラクからオーストラリアに移住したので、イラクのことはほとんど覚えていないと言っていました。中東では複雑な背景を抱えた人に多く出会います。

それから三日後。ようやくカイロ便が飛ぶことになり、私たちは一同バスで空港に向かいました。今回は別室呼び出しもフライト・キャンセルもなく、無事にカイロにたどり着くことができました。

当時カイロの大学の学生だった彼は現在、東エルサレムで医者として働いており、Facebookで繋がっているので、たまにメッセージのやりとりもします。娘のことをとても気に入っていたので、今でも時々娘について元気か?などと尋ねてきます。アラビア語は全部忘れちゃったよと言うと、残念そうにしていました。しかしこれから先はまた、どうなるかわかりません。

エジプト時代にいろいろな場所で出会った人たちと、娘が世界のどこかでいつか再会するかもしれないと考えると、未来は少しだけキラキラしたものに見えてきます。そしてそうした希望が、私たちと出会った彼らにとっても、未来を照らす光になってくれたらいいのにな、と思うのです。

6

髪を隠す人、顔を隠す人

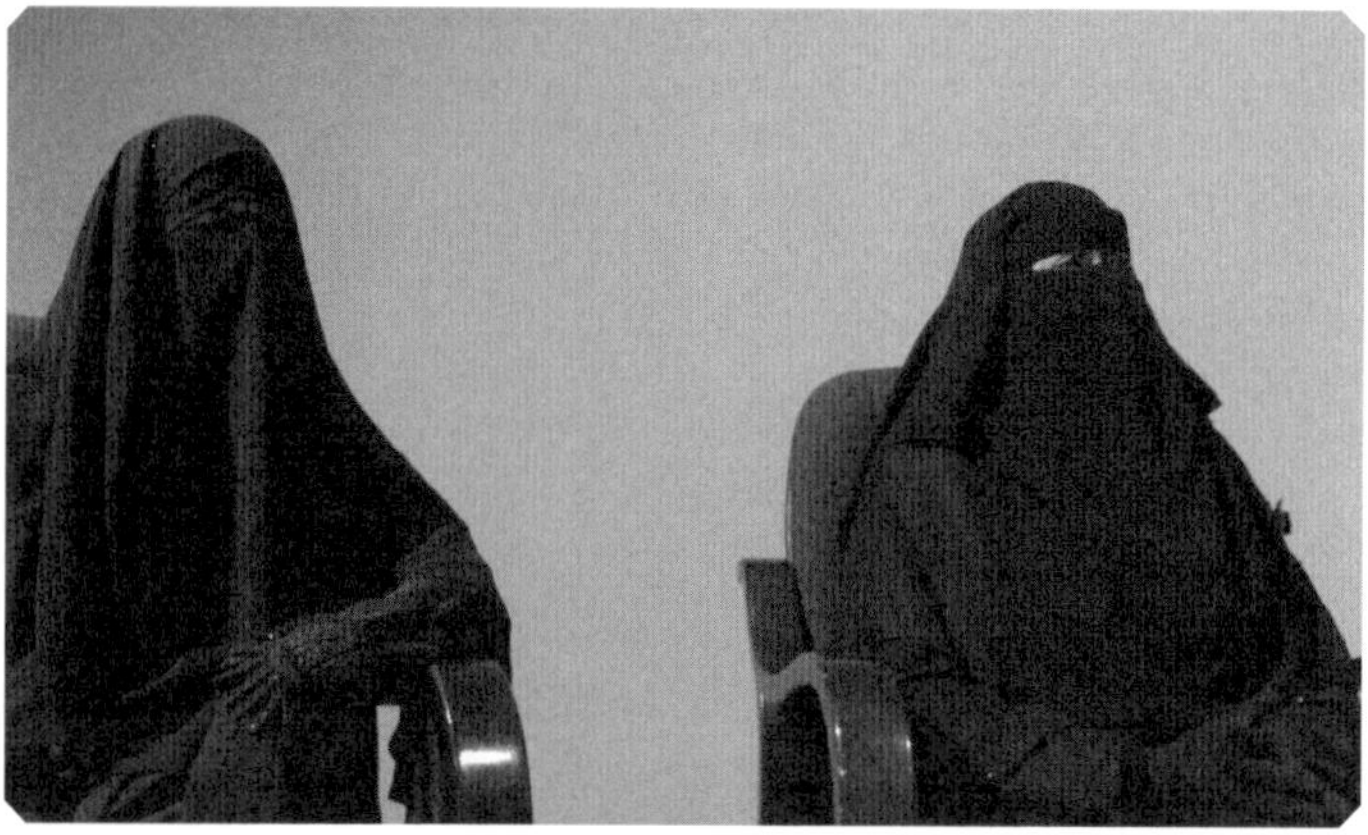

目以外の全身を黒布で覆い隠したマリア・テレビの女性メンバー。

ヒジャーブとニカーブ

イスラム教徒女性の中には、髪と首元をヒジャーブと呼ばれているスカーフで覆っている人が多くいます。他方、顔を含む全身を黒い布で覆い隠している人もいれば、髪を露わにしている人もいます。

覆い隠す部分が多いほど敬虔なイスラム教徒なのだろう、というイメージがあるかもしれませんが、必ずしもそうではありません。

『コーラン』第7章26節には、「われ（神）はあなたがたに、恥部を覆うために衣服を授けた」とあります。また第33章59節には、「預言者よ、あなたの妻と娘たち、信者の女たちに、ジルバーブ（長衣）を身に着けるよう告げなさい」とあります。

『コーラン』だけではどこをどのように覆うべきか判然としませんが、イスラム法学者たちは預言者ムハンマドの言行なども勘案し、イスラム教徒女性はヒジャーブ着用義務がある旨では合意しています。一方、覆い隠すべきは髪と首元のみでいいのか、もしくは顔も隠さなければならないのかについては、見解の相違があります。

私がエジプトにいた時、いつも一緒に仕事をしていたハーガルというエジプト人女性は、イスラム教徒女性に義務づけられているのはヒジャーブ着用と髪を隠すことだけであり、ニカーブで顔を隠す必要はないと主張していました。これはエジプト社会では最も一般的な認識です。「アラブの春」以降エジプトでは全身を黒い布で覆い隠した女性が急増しましたが、ハーガルは、敬虔さは外見から推し量れるものではないとして、顔を隠す女性に対しては若干批判的でした。

実は近代以降、1970年代終盤までのエジプトにおいては、女性が髪や顔を隠すのはそれほど一般的ではありませんでした。近代化にともない、女性の「覆い」はエジプトの後進性を象徴するものだという考えが浸透し、また覆いをはずし西洋的な服装をすることが流行にもなったからです。

その後、髪や顔を隠す女性の姿は、概ね三段階を経てエジプトに「回帰」しました。最初は1979年のイラン・イスラム革命の時、二度目は1990年代のサウジアラビアの影響拡大の時、三度目は2011年の「アラブの春」でムバラク政権が崩壊し「イスラム的自由」が広まった時です。

ある調査によると、エジプトで髪を隠す女性の割合は70年代には30％程度でしたが、90年代半ばには65%、2007年には90%を超えたとされます。

サウジが90年代、エジプトの経済や宗教、エンタメ業界などに多額の投資をするようになり、また多くのエジプト人がサウジに出稼ぎに行き帰国するようになると、エジプトの社会や文化、ライフスタイルはサウジ由来のイスラム原理主義に強く影響されるようになりました。女性の中では髪や顔を隠すことが最新流行となり、エジプトで最も美しく華やかな女優と評されたシャムス・バルディーを初めとする著名人が、率先して覆いをするようになりました。

「黒い波」の到来

西洋的であることよりイスラム的であること、開放的であることより慎ましくあることが、新しい価値観となりました。髪や顔を隠すようになった著名人たちは、自らサロンや勉強会を開いて女性達に覆いをするよう呼びかけ、その波は社会全体に広まりました。映画監督のユースフ・シャヒーンは、この現象を湾岸からやってきた「黒い波」と呼び、エジプト人が原理主義化しつつあることへの絶望を表現しました。

「黒い波」とともにエジプト社会は急速に宗教的、イスラム的になり、その変化は目に見えるかたちで広がりました。エジプトのモスクは1980年代には人口6031人あたり一カ所しかありませんでしたが、サウジの資金によりモスクが次々と建設され、2000年代には人口745人あたり一カ所にまで増えました。1985年にはエジプトで出版された書籍のうち宗教書の割合はわずか6％でしたが、1994年にカイロのブックフェアで販売された書籍のうち宗教書の割合は25％、1998年には85％と急増しました。

イスラム原理主義の台頭は、それに立脚し武力行使によって目的達成を図ろうとするイスラム過激派の台頭ももたらしました。1979年に「宿敵」イスラエルと平和条約を締結したサダト大統領は1981年、イスラム過激派組織「ジハード団」に属していた軍の中尉によって群衆の前で殺害されました。政府高官や外国人観光客を狙ったイスラム過激派テロはその後も続き、1997年にはイスラム過激派組織「イスラム集団」が観光地ルクソールで実行した無差別テロにより、日本人10人を含む60人以上が死亡しました。

私がエジプトで暮らし始めた2011年は、90年代の「黒い波」につぐ第三段階目のイスラム化、原理主義化が社会を席巻している時期にあたりました。ほとんどのイスラム教徒女性はすでに髪を隠していましたが、顔を隠す人が急増したのがこの時期の特徴です。それまで様々な形で女性が顔を覆うことを阻害してきた政府が「革命」によって打倒されたのに伴い、「顔を隠す自由」が生まれたからです。これも「イスラム的自由」の一環です。

しかし女性が髪や顔を覆い隠すことを女性の自由の証とか、彼女たち自らが主体的に選択したものなのだ、と単純に認識するのは問題があります。イスラム教徒の多数派は、女性がヒジャーブをするのは宗教的義務だと信じており、社会には女性にヒジャーブ着用を強いる圧力があるからです。

ミシガン大学社会研究所が２０１４年に公開した調査結果によると、エジプト人の85%が女性は公共の場では髪を隠すのが適切だと回答しており、10%が顔も隠すべきだとしています。実に95%のエジプト人が、女性は「覆い」をすべきだと考えているのです。世俗的だとされるチュニジアでも83%が髪を、3%が顔を隠すべきであり、トルコでも65%が髪を、2%が顔を隠すべきだと回答しています。サウジでは髪を隠すべきだと回答した人は23%のみで、74%の人が顔も覆い隠すべきだとしています。

つまりイスラム諸国に暮らすイスラム教徒女性にとっては一般に、ヒジャーブをするかどうかの選択の自由は全くないか、大幅に制限されているのです。ヒジャーブ選択の自由を享受しているのは、主に西側諸国に暮らす一部のイスラム教徒女性のみです。

結婚すればヒジャーブをしなければならない

私はモロッコ留学時に、アマル、バヒーヤ、イフサーン、ムニヤ、ザイナブ、フダー、アーイシャという7人姉妹と仲良くしていました。私が通っていた文書館の館長の秘書をしていたのが次女のバヒーヤで、そこで彼女と親しくなったのがきっかけです。

ランチは毎日のように彼女の家でご馳走になり、毎週金曜日にはクスクスを一緒に食べ、海に遊びに行ったりバスで少し遠出をしたりしました。金曜日の昼に家族でクスクスを食べるのが、モロッコの習慣です。彼女たちのお母さんの作る、飴色に炒めた玉ねぎと骨付き肉の載ったクスクスは、絶品でした。

長女のアマルは街の文化事業を推進する組織に勤めており、近所でも評判の大変な美人でした。当時、姉妹の中で働いていたのはアマルとバヒーヤだけで、下の子たちはまだ学校に通っていましたが、この姉妹は基本的に誰もヒジャーブをしておらず、お母さんだけがしていました。

モロッコでは一般に、少女に幼い頃からヒジャーブを着用させるのは政治的イスラムを推進するムスリム同胞団員の証であるとして、それを忌避する傾向があります。ムスリム同胞団の創設者ハサン・バンナーは男女の混在を危険とみなし、男女の隔離を推進したことで知られています。男女の隔離のために用いられるのがヒジャーブやニカーブであり、それらは同胞団イデオロギーを浸透させるツールでもあります。

イラン・イスラム革命の成就後、イランで直ちに女性のヒジャーブ着用が法によって義務づけられたのも、ヒジャーブが政治的イスラムの象徴として用いられる好例です。

姉妹のお父さんはモロッコの伝統衣装の仕立屋で真面目なイスラム教徒でしたが、政治にイスラム教を持ち込むことには反対しており、同胞団を嫌っていました。モロッコにとっては政治的イスラムを退け王政を維持することが最善だというのが彼の考えであり、それはモロッコで「正しい」とされる考えでもあります。彼は娘たちに、ヒジャーブ着用を義務づけてはいませんでした。

アマルとバヒーヤと私は、よく3人で街を歩き回りました。多くのモロッコ人にとっては、陽が落ちて涼しくなってから街をそぞろ歩きするのが最大の娯楽です。若い美人2人と街で唯一の日本人が一緒に歩いているのですから、人目を引かないわけがありません。

男たちは私たち3人に遠慮ない視線を向けたり、卑猥な言葉を投げつけたりしました。モロッコでは、女だけで歩けばこのような反応は当たり前です。ただ彼女たちはそれを「男ってバカね」とせせら笑っていました。混み合ったスーク（市場）などでは体を触ってくる痴漢にも頻繁に出くわしますが、そのたびに彼女たちは悲鳴を上げ、痴漢男を大声で罵倒しました。それでも男たちはにやにやと笑うだけで、反省の素振りすら見せません。「痴漢は悪いことである」という規範自体が社会にそもそもないので、当然と言えば当然です。父親や夫に連れられずに外を歩いている女は触っていいのだ、と思い込んでいる男は少なくありません。ヒジャーブをしていようといまいと、お構いなしです。これがモロッコの現実です。

彼女たちはヒジャーブをしていなくても自分は敬虔なイスラム教徒だと自負していました し、父親にヒジャーブの着用を命じられてもいませんでした。それでも彼女たちは、結婚した暁には必ずヒジャーブをしなければならないと認識していました。

モロッコ社会では一般に、ヒジャーブを外すことは夫への反逆を意味すると理解されます。そんなことをすれば死ぬほど殴られ、殺される可能性すらあります。モロッコはＤＶ（家庭内暴力）がひどいことでも知られていますが、痴漢と同様にＤＶも悪いことだという規範が社会にありません。ヒジャーブは宗教的規範であるだけでなく、社会においては男性支配、父権主義の象徴としての意味合いも実質的に強く持つのです。

２０１１年にモロッコ当局が18歳から64歳の女性に対して実施した調査では、対象者の62・８%がここ1年間に何らかの暴力被害にあったと回答、そのうちの55%が暴力をふるったのは夫だと回答しています。２０１１年にアメリカ国務省が発表したモロッコの人権についてのリポートでは、女性に対する暴力の8割は夫によるものだとされています。またUNウィメンが2016年に実施した調査によると、モロッコ人男性の62%が「家族の絆を保つために女性は暴力に耐えるべきだ」と回答し、41%が「配偶者に対する暴力は経済的支援によって正当化される」と回答しています。

日本社会では、今でこそ女性に対する差別や暴力は悪いことなのだ、というのが支配的な価値観として定着していますが、その価値観は決して普遍的ではありません。それは世界に数多くある価値観のうちのひとつに過ぎず、世界のどこでも当たり前のものとして通用するわけではないのです。

差別ではなく区別だという詭弁

また日本を含む多くの自由主義諸国で、女性が尊重される社会が徐々に実現されてきたように、世界の全ての国がいずれそうなるだろうと楽観することもできません。『コーラン』には、「服従しない女たちには諭し、それでもだめなら彼女らを臥所に置き去りにし、それでも効きめがなければ彼女らを殴れ」(第4章34節)という章句があります。『コーラン』というかたちで「固定」されている神の言葉は絶対であり、どれほど時を経ようと変わることはないからです。

神の言葉の解釈は様々です。しかし人間には、その文字通りの意味を否定することは決してできません。また男女平等やいかなる暴力も禁じるという西洋近代由来の価値観が、神に由来する価値観を凌駕することも決してありません。

夫が妻を支配するのも、服従しない妻を夫が殴るのも当たり前だと認識されている社会は、現に今も存在します。差別も暴力も当たり前過ぎるほど当たり前なので、取り付く島がありません。私が「差別や暴力はよくない」と主張したところで、妙なことを言う異教徒、としか見なされないのです。

イスラム教徒が日本に来て急に「アッラーこそが唯一の神で、ムハンマドこそが神の使徒だ！　みな神の命令に従え！」と叫び出したら、日本人のほとんどが「妙な奴」「頭がおかしいのかもしれない」といった目で見ることでしょう。それと同じです。

一方で、日本人や欧米人など異教徒との対話において、「イスラム教は女性を差別し、女性に暴力をふるう野蛮な宗教だ」などと非難されると、彼らは烈火のように怒ります。イスラム教こそが唯一の正しい宗教と信じる彼らにとって、イスラム教が下位におかれたり非難されたりすることは、受け入れがたいからです。

イスラム世界の知識人はこれに対し、「イスラム教は女性を差別しているのではなく男性と区別しているだけだ」とか「『コーラン』が認めているのは服従しない妻を優しく叩くことだけだ」などという詭弁を呈したりもします。なぜ詭弁かというと、これはイスラム教やイスラム社会を知らない外部者に対して、イスラム教を擁護しイスラム教の優位を主張するためだけのごまかしの論であり、イスラム社会においては全く通用しないからです。

アマルがヒジャーブをするようになったのは、彼女が結婚した後のことです。彼女の夫はスペインに暮らすモロッコ人移民です。スペインに暮らしていても、彼女が服さなければならないのは西洋的価値観ではなく、イスラム的価値観なのです。ヨーロッパに住むイスラム教徒移民の男性がしばしば、ヨーロッパ育ちのイスラム教徒女性ではなく、母国で育ったイスラム教徒女性と結婚するのを好むのは、彼らがイスラム的価値観に基づく結婚生活を望むからでもあります。

他の姉妹たちも、結婚前後に次々とヒジャーブをするようになりました。彼女たちはもう二度と、ヒジャーブをせずに外出することはできません。今では姉妹の中でヒジャーブをしていないのは、結婚をしていないバヒーヤと、まだ結婚せずファストファッションの店で働いているアーイシャだけです。

きれいごとではないヒジャーブ

もちろんイスラム教徒女性の中には、ヒジャーブ着用を当たり前だと認識する人もいます。しかし日本には、「ヒジャーブはイスラム教徒女性の慎ましさの象徴」だとか、「ヒジャーブをすることによって女性は暴力から守られ安心して社会進出できる」、といったヒジャーブを美化する言説やリベラルな文脈でヒジャーブを解釈した言説しかないことに対して、私は違和感を覚えます。

ヒジャーブ着用は第一に宗教的義務であり、第二に男性支配の象徴です。そしてヒジャーブをしていても、女性は痴漢やセクハラ、レイプ、DVの被害にあいます。ヒジャーブをしていても女性は暴力から守られないし、安心などできないのが現実なのです。

暴力から守られるため、安心するために女性はヒジャーブをしなければならない、というのは論点ずらしによる問題のすり替えです。男性が女性に暴力をふるいさえしなければ、女性が暴力被害にあうことはありません。女性への暴力を止めることができるのは、ヒジャーブではなく男性です。そして私たちが目指すべきは、ヒジャーブをしようとしまいと女性が暴力被害にあうことのない社会であるはずです。

ヒジャーブを美化する言説は、男性が暴力をふるうことをやめない限りいくらヒジャーブをしても女性が暴力から守られることはないという現実、ヒジャーブは実質的に義務であり強制であって、多くの場合女性に拒否する自由はないのだという現実を糊塗しています。ヒジャーブはきれいごとではないのです。

ハーガルと私はある時、カイロ市内にある「タウヒード・ワ・ヌール」という庶民的衣料品店にニカーブ（顔を覆い隠すベール）を買いに行きました。顔を隠した女性だけで運営されている「マリア・テレビ」という新しいテレビ局を取材する予定があり、以前ムルガーン師に「お前は全身恥部だ」と言われた経験上、顔を隠さずに行ったら絶対に怒られると考えたからです。

「タウヒード・ワ・ヌール」は、エジプト中に展開している有名な衣料品チェーン店です。ハーガルもうちのサラフィー運転手も、ニカーブといえば「タウヒード・ワ・ヌール」だと言うのでこの店に来たのですが、入ってみると店員が全員明らかにサラフィーで、私もハーガルも瞬時に「これはヤバい」と察知しました。

店員たちは一斉に、あからさまに私たちに背を向けます。「オレを誘惑する悪魔がやってきた！」と警戒されていることが、ひしひしと伝わってきます。もちろん私には彼らを誘惑する気など神に誓ってこれっぽっちもないのですが、彼らのような人々は私のような女を見た瞬間、自動的にそう認識してしまうので仕方ありません。

ハーガルはその雰囲気にひるまず、店員の一人につかつかと歩み寄り「ニカーブが欲しい」と言いました。するとサラフィー店員は、ハーガルとも視線を合わせずに「ニカーブなんてない」と答えます。粘り強さが持ち味のハーガルが「そんなはずないでしょ」と食い下がると、しぶしぶ「3階に行け」と答えます。なぜそんなに私たちに対してニカーブを売りたくないのかわかりませんが、嫌がらせにも程がある、とこちらもイライラしてきます。

3階でなんとかニカーブを入手した後、今度はイスダールという頭の先から足元まで全身をすっぽりと覆う長衣を買おうと、別の店員に「私たち二人が着るためのイスダールが欲しい」と言うと、ここでも「イスダールなんてない」と言われます。ハーガルが「そんなはずないでしょ」と再び食い下がると、「お前のはまあ、なんとかあるが、こっちの小さい奴のイスダールはない」と私をチラっと見て言い、さらに続けて「子供コーナーだな」と吐き捨てるように言いました。

こっちの小さい奴?! 子供コーナー?! 私の怒りも頂点に達しますが、ここはサラフィー的価値観の支配するサラフィー・ショップなので、ここで怒り散らしても何ひとつ得るものはないことくらいは、私にもよくわかっています。

この空間では異教徒の女である私だけでなく、ヒジャーブをしたイスラム教徒であるハーガルも差別され、蔑視されます。なぜなら彼らは、公共空間に存在することが許されている女性は、ニカーブで顔を隠した女性だけだと信じているからです。彼らにとっては私だけではなくハーガルも「お呼びでない客」どころか、「店に来てはいけない、男を誘惑する悪魔」だったのです。ハーガルも「だからサラフィーは嫌いなんです」と怒りを露わにしていました。

イスダールとニカーブで蒸し風呂状態

結局私は別の店でイスダールを入手しました。後でハーガルに聞いたところ、「タウヒード・ワ・ヌール」のオーナーは厳格なイスラム主義者ビジネスマンとして有名なサイイド・ラジャブ・スウィルキーという人物で、厳格な割には一度に妻を5人持つという「人数制限オーバー」をし、2003年に逮捕され実刑判決を受けたそうです。あの店と店員の雰囲気も、それで腑に落ちました。イスラム教は一夫多妻を認めていますが、戒律では一度に娶っていいのは4人までと定められており、エジプト民法上も5人以上妻を娶ると罰せられます。

2012年10月のある日、マリア・テレビの取材を前にハーガルと私はイスダールとニカーブを装着しました。実際に装着してみると、存外に重いのに閉口します。

私の購入したUAEからの輸入品であるイスダールは、真っ黒でずっしりとした重みがあり、その重みが頭上にのしかかります。なぜこんなにも重いのか――。おそらく重みがある方がペラペラと捲れ上がったりする心配もなく、また上等で高級に見えるからだと思います。

頭から首、肩にかけて慢性的な凝りに悩まされている私は、これだけでももう無理だ……とへこたれそうになります。軽量とか涼感とか速乾といった、日本の夏物衣類を売り込むためのキャッチフレーズとは対極の世界です。

イスダールだけを着用すると、ちょうど『千と千尋の神隠し』のキャラクター「顔なし」のような感じになります。これをかぶった状態で、目の下の位置にニカーブを合わせ後頭部で紐を結び上の布一枚をめくりあげると、目だけが出る構造になっています。

イスダールとニカーブを装着して外を歩くのは、私のようにニカーブ慣れしていない人間にとっては至難の技です。視界が悪く左右も足元も見えないので、歩くのに恐怖を感じます。鼻と口がニカーブで覆われているので息苦しくもあります。足元まで長い布で覆われているので足捌きが悪く、前に一歩進むだけでも裾を踏み、つんのめりそうになります。気温は40度近く、イスダールとニカーブの中は蒸し風呂状態です。

とにかくつらい。でもこれで一応、外見だけは完璧なはずです。

マリア・テレビの放送局は、その兄弟分にあたるウンマ・テレビとともに、ある建物の1フロアにありました。創設者はアブーイスラム師というサラフィーです。アブーイスラム師はその1カ月前、カイロにあるアメリカ大使館前でキリスト教の聖書を引き裂き燃やしたことで有名になり、当時その件で起訴されていました。この件についてアブーイスラム師は、「犬野郎」であるアメリカ人牧師テリー・ジョーンズが2011年3月、および2012年4月に『コーラン』を燃やしたことに対する報復だと述べました。

アブーイスラム師へのインタビューを申し込んであった私たちは、すぐ彼の部屋に通されました。すると彼はハーガルと私をじろじろと見て、「お前たちは本当に普段からニカーブをしているのか？」と聞きます。ニカーブ姿が板についていないのが早くもバレたかと観念し、私は日本人でイスラム教徒ですらないが、今日はサラフィーであるあなたとマリア・テレビに敬意を評してニカーブをしてきたと白状しました。すると急に鋭い目を向け、「お前はイスラエルのスパイだな！」と言うのです。

「イスラエルのスパイじゃありませんよ。第一、日本人ですし」

「証拠を見せろ」

「いや証拠って、イスラエルのスパイじゃない証拠なんてあるわけないじゃないですか」

「ますます怪しい。以前、そうやってニカーブ姿で私に会いにきた女が実際にイスラエルのスパイだったことがあった。私はニカーブ姿の外国人を信用しない」

「じゃあ、いますぐニカーブをとって顔を見せましょうか？　見ればイスラエルのスパイじゃないことがわかると思いますよ」

「いいや、その手には乗らない。そんなことをすれば私が悪魔に取り憑かれる。お前は悪魔だということが私にはお見通しなのだ」

彼の中では、私はイスラエルのスパイである疑いが強く、そうでなくとも悪魔だということに決まってしまっているので、もうどうしようもありません。こちらとしては、スパイか悪魔ってことで構いませんのでインタビューお願いします、という姿勢で臨むしかありません。

イスラム主義者かく語りき

マリア・テレビの設立について尋ねると、彼は次のように語りました。

「現代は民主主義という不信仰がはびこっている。民主主義は西洋からもたらされた無知無明(ジャーヒリーヤ)であり、だからこそ民主主義のもとでは自由人女性の象徴であるニカーブが卑劣な差別を受けている。これまでニカーブ女性は大学で学ぶことや、仕事をすることが制限されてきた。どんな場所でもヒジャーブや体のラインの出るぴったりとした西洋風の服装は許されるのに、なぜ自由人女性の正しい姿であるニカーブだけが差別されるのだ?

これは民主主義が不信仰、反イスラムである証拠だ。だから私はマリア・テレビを作った。そしてニカーブ女性に就業の機会をあたえたのだ。これは表現の自由である」

アブーイスラム師は西洋由来の価値である民主主義を反イスラムだと批判するわりには、同じく西洋由来の価値である表現の自由は認められるべきだと主張します。イスラム主義者は、特に私のような異教徒を相手に話をするときには、このように自分の都合のいいように西洋由来の価値を「つまみ食い」する傾向があります。

私が「ニカーブは自由人女性の象徴なのですか？」と聞くと、「そうだ、そんなことも知らないとは、イスラエルのスパイにしては無知だな」と返されます。いやそれくらい知っていますよ！　インタビューだから敢えて質問しているのですよ！　と私もイラっとしましたが、これで「こんな無知な輩がスパイであるはずはない」と相手の気が緩んだようなので、むしろ好都合です。

アブーイスラム師は無知な私のために、「かつてウマル・ブン・ハッターブ（第二代正統カリフ）は、女奴隷が自分の顔を布で覆い隠しているのを見て、彼女を殴り叱責した。これこそが、ニカーブが自由人女性にのみ与えられた特権であることの証拠なのだ。覚えておくがいい」と得意げに説明してくれました。

確かに第二代正統カリフのウマル（644年没）は、サウジアラビアのメディナの街中で女奴隷が布で顔を覆い隠しているのを見た時、彼女の顔から布が落ちるまで彼女を棒で叩き、「奴隷女が自由人の真似事をするとはなにごとぞ！」と罵ったと伝えられています。

私はアブーイスラム師のこの発言を聞いても、「いやいや、たとえ奴隷であろうと女を棒で殴りつけたという話を誇らしげに持ち出されても、怖いとかしか思えないんですけど。しかも奴隷という存在がなくなって全員自由人となった現代においては、もはや奴隷と自由人を区別するためのニカーブなんて不要ですよね？」などと思いましたが、もちろんそんな反論をしても相手の機嫌を損ねるだけで何ら利益がないことは明らかなので、言いたい言葉はグッと飲み込みます。彼の話はあくまでも、「ニカーブが自由人女性の象徴であることを示す確かな証拠」として理解しなければなりません。

彼は次のように続けました。

「ヒジャーブしかしていない女は堕落している。ハーガルは普段ヒジャーブしかしていないと言っていたが、それは非常に残念なことだ。ハーガルはこのままニカーブをし続けるべきだ」

隣に座っているハーガルの顔は、その時はニカーブに隠れて見えませんでしたが、彼女の怒った顔が容易に想像できました。

彼の部屋を出ると直ちにハーガルは、「あの人は失礼です！　私は堕落してなどいません！」と案の定、相当な怒りようです。私自身はイスラム教徒に、奴隷女だの売春婦だの悪魔だのと罵倒されることには慣れていますが、敬虔なイスラム教徒として育ったハーガルは面と向かって「堕落している」などと言われたのは初めてだそうです。「許せません！」と言うので、「ほんと許せないね！　失礼極まりないね！」と私も調子を合わせます。

ニカーブ女性はヒジャーブ女性を見下している

続けて私たちは、マリア・テレビの女性メンバーたちと面会しました。ところが部屋に通されるやいなや、なにかワサワサと妙な雰囲気が漂います。全員がニカーブで顔を隠しているのでもちろん表情は全く見えないのですが、それでもチラリと見える目元から、私たちをなにやら疑っている様子がうかがえます。

リーダー格らしき女性が、おもむろにこう言いました。

「あなたたち、手袋はどこに忘れてきたの？」

しまった！　とハーガルも私もはっとしました。

その場にいた女性たちは全員、黒い手袋で手先まで覆い隠しています。

そう、私たちは手袋にまで気が回らなかったのです。

「あなたたち、本物のニカーブ女性じゃないわね」とたちまちバレます。仕方がないので再度、アブーイスラム師にした説明を繰り返しますが、誰一人納得していません。彼女たちも私を「男を姦通へと誘う悪魔」であり、ハーガルを「堕落したイスラム教徒」と見ていることが、ひしひしと伝わってきます。

彼女たちにインタビューをすると、自分たちはニカーブをしているという理由でこれまで学校でも就職でも差別されてきた、ニカーブ女性が働ける場所など腐敗したエジプト社会にはどこにもない、マリア・テレビを作りニカーブ女性に働く場を提供したアブーイスラム師は素晴らしい、などと口々に語りました。

一方で、やはりハーガルが普段はニカーブをしていないことがよほど気になるようで、「あなた、普段はヒジャーブしかしてないって言っていたけど、男を誘惑するつもり？　そんなふしだらなままでは地獄に行くわよ。正しいイスラム教徒女性は必ずニカーブをしないといけないの。これは神様の命令よ。わかる？　手袋も必須よ」と、熱心に説得します。異教徒だとわかっている私には、特に何も言ってきません。そのかわり強烈に感じたのは、ああこの人は地獄に落ちるんだな、という侮蔑の視線です。

私は『コーラン』第98章6節に、「啓典の民の中の不信仰者も多神教徒も、地獄の火に投げ込まれてその中に永遠に住む。これらは衆生の中最悪の者である」とあるのを知っており、イスラム的には私はこのままでは地獄行きだということを認識しています。しかしそう認識してはいても、あからさまに「地獄落ちする異教徒」として蔑まれると、決して気分はよくありませんし、一刻も早くその場から立ち去りたい気持ちになります。

マリア・テレビで働く彼女たちは、自分たちのように全身を黒布で覆い隠しているイスラム教徒女性のみが正しいと確信しているので、自分たちが差別されることに対しては強く憤りますが、自分たちがそうではない人を差別するのは当然だと考えているようでした。取材後ハーガルは、「ニカーブ女性はヒジャーブ女性を同じイスラム教徒女性として尊重していると思っていたけど、見下していることがよくわかりました。すごく失礼！」と怒っていました。

「サラフィーとそれ以外」という対立軸

イスラム社会にはイスラム社会の差別があり、マウンティングや対立、確執もあります。イスラム教徒女性たちは皆、自分は正しいイスラム教徒だと自負している一方で、自分とは異なる外見をした他者を蔑視したり、場合によっては直接罵ったりもします。ヒジャーブやニカーブは彼女らのイスラム教徒としての連帯や価値観の共通性を象徴するものであるだけではなく、時として彼女らの分断を象徴するものでもあるのです。

だからこそ私たちは、「ヒジャーブはイスラム教徒女性の慎ましさの象徴」とか、「ヒジャーブをすることによって女性は暴力から守られ安心して社会進出できる」などといった、一面的で表層的な理解は差し控えるべきなのです。それはヒジャーブをめぐる真実の、ひとつの表象にすぎないだけでなく、かつ多くの重要な現実を糊塗しています。私はヒジャーブやニカーブについてのお仕着せの説明を超えたところにこそ、理解すべき真実があると思います。

イスラム教徒ではない私とイスラム教徒のハーガルが、サラフィーたちから同レベルの酷い扱いを受けた事実は、実に示唆的です。サラフィーを目の前にすると、そこには「イスラム教徒と異教徒」という対立軸ではなく、「サラフィーとそれ以外」という対立軸が生まれるのです。

私がイスラム過激派について、イスラム過激派ではないイスラム教徒と私たちは手を組んで共通の敵であるイスラム過激派と戦っていけると信じる理由も、ここにあります。

なお「ニカーブをしていない女はふしだらで堕落している」と言われたハーガルは、その後もニカーブをつけることはありませんでした。

アブーイスラム師はこの取材後、エジプト土着のキリスト教徒であるコプト教徒について、コプト教徒の女は十字軍兵士であり売春婦であってレイプされたがっているのだと発言して大いに顰蹙を買い、2015年には既述のキリスト教の聖書を米大使館前で燃やした件で禁錮5年の判決を受けました。エジプトでは宗教に対する冒瀆は違法行為とされていますが、イスラム教ではなくキリスト教を冒瀆したとしてイスラム教徒が有罪判決を受けるのは極めて稀です。

アブーイスラム師は、女性に対しても異教徒に対してもひどく侮蔑的でした。その両方の属性を併せ持つ私がスパイ扱いされたりバカにされたりするのも、無理はありません。

エジプトでは同胞団政権転覆とともに彼のようなイスラム主義者が好き放題発言し行動することを許す「イスラム的自由」は失われ、司法当局はアブーイスラム師に有罪判決を下し彼を収監しました。それは私には、エジプトが今後目指す方向を象徴する判決であるように思われました。

7

ファラオの呪い

ゲジラ・スポーツクラブにて。著者。

一度も勝ったことのないソフトボールチーム

エジプトの首都カイロの日本人コミュニティーでは年に二度、「ラムセス杯」というソフトボール大会が開催されています。カイロ日本人会の主催で、8チームがトーナメント形式で戦い優勝を競うもので、開催回数は60回を超えています。

当時エジプトの在留邦人の数は1000人前後で、その多くはカイロに住んでおり、またその多くは何らかの形でラムセス杯に関与していました。在留邦人が少ない外国ならではの、「みんなお互いに何となく知っている」感がカイロにはありました。

ソフトボールのチームには大使館チームや日本人学校チーム、企業の連合チームなどいろいろあるのですが、私は通称「ペンマイ」というメディア関係者で結成したチームの一員でした。

ペンマイのキャプテンが帰任となり、親しくしていた友人が新キャプテンに就任した後のある晩、ペンマイ・メンバー数人で飲んでいたところ、新キャプテンが「うーん。やっぱり一度でいいから勝ちたい」と言い始めました。ペンマイは数年来、ラムセス杯でただの一度も勝ったことがなかったからです。

キャプテンがそう言うので、私は「じゃあ練習しましょうよ」と提案しました。練習しないとこの先も絶対勝てないだろうし、練習すれば勝てるようになるかもしれないと言うと、それもそうだという話になり、週一回、参加できる人だけ参加して練習しようということになりました。

声をかけると、ペンマイ・メンバーの多くが賛成してくれました。おそらくみな、仕事以外に熱中できる「何か」を求めていたのだと思います。カイロには娯楽らしい娯楽はなく、出かけて気晴らしになるような場所もほとんどありません。カイロの在留邦人の中にはゴルフに熱中する人もいますが、当時のペンマイ・メンバーにはゴルフにハマっている人はあまりいませんでした。

エジプトの休日は金曜と土曜です。基本的には金曜日の朝、我が家の目の前にあるゲジラ・スポーツクラブで練習することになりました。

ゲジラ・スポーツクラブというのは、ナイル川の中洲にあるゲジラ島にある会員制の巨大な屋外スポーツ・クラブです。ゲジラ島には各国大使館が集まり、外国人も多く住んでいます。当時はペンマイ・メンバーも全員、ゲジラ島に住んでいました。

ゲジラ・スポーツクラブにはゴルフ場やサッカー場、馬場、テニスコート、バスケットボールコート、プール、ジム、体育館などの他に広大な子供の遊び場があり、敷地内にはカフェやジュース屋、シャワルマ（ケバブ）屋、ファストフード店なども点在していて、どこでも飲食できます。お年寄りが散歩をしたり、上流階級に属するエジプト人たちが集ってひたすらおしゃべりをしたりする社交場でもあります。

基本的には裕福なエジプト人と外国人しかいないので、ゲジラ・クラブ内は外の世界と比較すると格段に安全です。緑も多く、清掃も比較的行き届いています。何より子供が思いきり体を動かして遊んだり走り回ったりできる場所が他にはなかったため、我が家は家族で会員になっていました。

エジプト在住時代、私が自宅以外で最も多くの時間を過ごしたのは間違いなくゲジラ・クラブです。かなり活発に動き回るタイプだった我が娘はここで遊ぶだけでなく、体操や水泳などを習ってもいました。「キャプテン」と呼ばれるコーチたちはみなエジプト人で、習っている子供たちもほとんどがエジプト人ですが、娘はエジプト人並みにエジプト語を話し、並みのエジプト人以上におしゃべりだったので一切問題ありませんでした。その点は実に助かりました。

なおエジプトには、スポーツのコーチをキャプテンと呼ぶだけでなく、若い男性全般をキャプテンと呼ぶ習慣があります。エジプトの若い男性はキャプテンと呼ばれると嬉しいらしく、例えばカフェやレストランのウェイターを呼びたい時に「ちょっとそこのキャプテン！」と呼ぶと、油を売っていた人がすっ飛んで来てくれたりします。いくら何度も「すみません」と呼んでも一切反応しないお兄さんたちが、キャプテンという言葉だけに素早い反応を示すのは実に不思議です。

人に何かをお願いする時などにも、「ちょっとキャプテン、お願いしますよ」のように相手をキャプテンと呼ぶだけでことがスムーズに運ぶことがあります。もちろんスムーズに運ばないことの方が圧倒的に多いのですが、キャプテンの一言でうまくいくなら儲け物です。キャプテンは、エジプトでは大変便利な言葉なのです。

日本が世界に誇るマンガ『キャプテン翼』はアラブ世界でも大変人気があるのですが、私としては、この絶妙な「キャプテン」の用法がその人気の一因となったのではないかとも思ったりします。なおアラブ世界では、『キャプテン翼』ではなく『キャプテン・マジド』という名前で知られています。

ヒジャーブ姿と水着姿のギャップ

私は週に何度かは、自分がプールで泳ぐためにゲジラ・クラブに行っていました。そこには50メートルの屋外プールがあり、このプールは一番深いところで水深が10メートルほどあるのが特徴で、まるで深海で泳いでいるような気分に浸ることができます。通常は男女兼用で水泳や飛込競技の練習なども行われているのですが、平日の決まった曜日・時間帯は女性専用となるので、そこを狙って行っていました。

女性専用時間帯はプールの周辺が幕で覆われて外から見えなくなり、係員も女性しかいなくなるので、イスラム教徒女性も人目を気にせずのびのびと泳ぐことができます。私はかなり頻繁に泳ぎに行っていたので、じきに何人かのエジプト人女性と知り合いになりました。

プール友達の女性にプールの外で声をかけられると、一瞬誰だかわからないことがよくあります。頭髪を覆い隠すヒジャーブを取り外し水着を着て泳いでいた女性が、ヒジャーブをして限りなく露出の少ない服を着ると、驚くほど印象が変わるからです。サングラスをしていた場合にはもう、誰が誰だかさっぱりわかりません。でも相手が誰だかわからなくても、挨拶とひとしきりの会話をする分には困ることはありません。相手が誰であれ、形式的に交わす挨拶には大差ないからです。

灼熱の国のイメージのあるエジプトですが、冬場のカイロは意外と寒く、10度を下回る日もあります。ゲジラ・クラブの屋外プールは、冬場は温水になるはずで、確かに温水になっている日もあるのですが、問題は必ずしも常に温水であるわけではない、という点です。装置が壊れていたり、停電だったり、ケチって装置の作動を止めていたりと理由は様々なようですが、とにかく寒い日に冷水プールに飛び込んでしまったらもう、最悪です。私はこれで何度も、心臓が止まるかと思うほどのショックを受けました。

ゲジラ・クラブのプールのさらに恐ろしいところは、シャワーも冷水しか出ない場合があることです。冷水プールから急いで上がってシャワーに駆け込み、そのシャワーもまた冷水だったときの辛さといったらありません。プールにせよシャワーにせよ、こちらの想定した温度のものが常に供給されるサービスというのは、日本では当たり前かもしれませんが、世界の多くの場所では全く当たり前ではありません。

なぜかスパルタ水泳教室に

女性専用時間帯ではない時に泳いでいたある時、水泳のキャプテンの一人に急に声をかけられ、「お前の泳ぎはアスリートとしてなっていない！」と怒られました。「え！　だって私、アスリートじゃないし、ただ気分良く泳ぎたいだけなんですけど?」と言ったところ、「そんなんじゃダメだ。お前はもっといけるはずだ!」とさらに重ねて怒られ、なぜか早朝に開催されている彼の水泳クラスに無理矢理参加させられることになりました。

これは本当にスパルタで、そもそも私以外の参加者は「もっと強い自分になりたいんです!」と熱く語る屈強なエジプト人男性たちで、その人たちと並んで競争させられるのですからたまりません。他にもフィン(足ヒレ)とパドル(手ヒレ)つきで長距離泳がされるわ、息継ぎなしで泳がされるわ、もう滅茶苦茶です。

「キャプテン! もう限界です!」と音を上げても「限界は超えるものだ!」と一蹴されます。「キャプテン! これ以上やったら死にます!」と訴えても「死ぬと言って死んだ奴はいない!」と返されて終わりです。

今考えても、なぜ私があのスパルタ水泳教室に参加させられなければならなかったのか、というかなぜ私はうっかりあの教室に参加してしまったのか、訳がわかりません。

エジプトというのは訳のわからない出来事がよく起こる国で、エジプト人たちはそのことを「ファラオの呪い」とか「ファラオの国だからしょうがない」と言ったりします。ファラオというのは、古代エジプトの王の称号です。私にとってのこのスパルタ水泳教室はまさに、「ファラオの呪い」でした。

キャプテンという言葉に妙な魔力が宿っているのも、温かいはずのプールの水が冷たいのも、たぶん「ファラオの呪い」です。そう考えると、不思議と全てのことに納得がいきます。おそらくそれもまた、「ファラオの呪い」です。

「ペンマイの南ちゃん」の称号

ゲジラ・クラブへは朝、コーヒーを飲むためだけに行くこともよくありました。カイロは年中空気が悪く埃っぽいのですが、ゲジラの中は少しだけマシで、特に朝は少しだけ清々しさを味わうことができるからです。ここで読書をしたり、ちょっとした仕事をしたりすることもありました。

娘の付き添い、水泳、コーヒーに加えてソフトボールの練習まで加わったので、なんだか私は徐々にゲジラ・クラブに入り浸る人のようになっていきました。数日間行かなかっただけで、入り口で会員証をチェックするセキュリティーのおじさんに「なんかあったのか？大丈夫か？」と心配されたこともあります。

ソフトボールの練習には、私もほぼ毎回参加しました。とはいっても私は非力この上なく明らかに戦力にならないということで、キャプテンからマネージャーという役を仰せつかりました。メンバーのみなは面白がって私を「ペンマイの南ちゃん」と呼び、「ペンマイの南ちゃんは怖い」といって恐れているフリをしていました。失礼な話です。

なお当時の私は日焼け止めというものを使用したことがなく、屋外プールでの水泳とソフトボールのせいで驚くほど真っ黒に日焼けしており、話題が尽きるとみなで「アカリさんは松崎しげるを超えたんじゃないか」とか「いや、さすがに松崎しげるにはかなうまい」と検討するなど、黒すぎることを散々ネタにして面白がっていました。これもまた失礼な話です。

ペンマイ・マネージャーの仕事は、人員の足りないところを補う「なんでも屋」でした。「なんでも屋」はなかなか大変です。守備練習の時は必ずどこかを担当させられるので、しこたま走らされます。強力な打球が飛んでくると、「身体で止めろ！」と言われるので、グローブでキャッチできないと脚を使って止めたりし、あちこちアザだらけになりました。送球練習の時は、ホームベースから一塁、二塁、三塁、そして再度ホームベースへととにかく全力で走る役をやらされるので、へとへとになります。今振り返ってみると、なぜ私があんなにしごかれなければならなかったのか全然わからないのですが、当時はそれを特に不思議だとも思っていませんでした。これもまた「ファラオの呪い」に違いありません。

それ以前に何しろカイロですから、冬はともかく夏場はとにかく暑いという問題があります。観測気温で42度、43度、さらに45度、46度となってくると、体温を遥かに超え、熱めのお風呂よりもさらに暑いので、ドライヤーの熱風を全身で浴びているような感覚です。あまりに暑いので少し先も蜃気楼のように歪んで見え、iPhone には常に「高温注意」の警告が表示されます。

しかしどんなに暑くてもペンマイの練習は中止にはなりません。明らかに身体に悪そうですが、昭和生まれの人間にありがちな根性論的なものがあったような、もしくはどうせ他にやることもないからやろうぜ的な惰性があったような、そんな感じがします。

そのかわり、酷暑の練習後の冷たいスイカ・ジュースやビールはたまらない美味しさでした。その快感が、みなを酷暑の中の練習へと駆り立てていたのかもしれません。暑くて倒れたりする人がいなかったのは幸いでした。

礼拝が聞こえるなかでのノック

ペンマイの練習は金曜の午前中だったので、いつもイスラム教の金曜礼拝の時間帯と重なっていました。イスラム教徒の成人男性は、金曜日の昼はモスクに行き集団礼拝をするのが義務とされています。『コーラン』第62章9節に「信者たちよ、金曜礼拝の招集の声が聞こえたなら神を念じる為に急いで駆けつけ、商売などは放り出して来い。それがあなたがたにとって善いことなのだ」とあるからです。

イマームと呼ばれる礼拝導師の説教は、スピーカーを通して外にも聞こえるようになっています。なぜならエジプトの場合、モスクには礼拝者が入りきらず、モスクの外で礼拝をする人が常に多数いるからです。スピーカー越しの説教の声は、練習中も聞こえてくるので、私は走らされたりしながらも、耳だけは説教に集中させていました。

エジプトのモスクの多くは宗教省の管理下にあり、イマームは公務員で、説教の内容も決められています。こうしたモスクでは、金曜礼拝の説教でイマームが突如政権批判を始めたり暴動を煽ったりすることはありません。そんなことをすれば直ちに逮捕されてしまいます。ゆえに金曜礼拝では、「他者に対して寛大であれ」とか、「あいさつをしよう」とか、「盗みはしてはいけない」といった、普遍的な道徳が『コーラン』や預言者ムハンマドの言行録を引用しつつ説かれるのが一般的です。

集団礼拝の時間になると、ソフトボールの練習をしているグラウンドの外側にも人々が集ってきます。私たちも大声を出すようなことは控えますが、礼拝が始まったからといって練習をやめたことも、また練習をやめるよう文句を言われたこともありません。ゲジラ・クラブは基本的には世俗的な社交場だったからです。

エジプト人の富裕層はイスラム教徒でも世俗的な人が多く、ゲジラ・クラブに集う人たちにもその傾向はありました。ヒジャーブをしないイスラム教徒女性も一定数おり、逆にニカーブで顔まで覆い隠した女性は滅多に見ませんでした。水着一枚で歩き回る男性や、脛を出した軽装の男性もいます。

戦火を逃れ避難してきた人たち

エジプトではスポーツといえばサッカーで、野球やソフトボールは全くメジャーなスポーツではありません。ですから突如として毎週金曜日の朝にグラウンドに集い何やらやり始めた日本人集団は、ゲジラ・クラブでもちょっとした話題になりました。娘の水泳や体操のキャプテンには、「あなたたちが金曜日にやってるあれ、一体なに?」と尋ねられました。親しくしていたシリア人のおばあちゃんには、「なんだかわからないけど、楽しそうでいいわね」と言われました。

彼女は娘の友達のおばあちゃんだったのですが、元々はパレスチナ人で、ヨルダンに移住し結婚してシリアに住むようになったと言っていました。ですから娘の友達もそのお母さんもシリア人です。彼女たちはダマスカスのメッゼという新興地区に住んでいたのですが、2011年の内戦勃発後、戦火を逃れカイロに避難してきました。

「なんだか私は生まれてからずっとあちこち逃げてばかりで、嫌になっちゃうわ」とぼやきつつ、「でも家族と一緒だから、まあいいか！」と語る明るい女性で、年は80近かったのですが、初めて会った時に「ねえ、Facebookのアカウント教えて」と私に言ってくるような、新しいもの好きの一面もありました。

今でも私は、シリアについて考える際には彼女たちのことを思い出します。彼女たちは比較的裕福なシリア人で、国を追われたシリア人の中でも恵まれている方ではあるのですが、それでも異国で暮らす苦労や、果たしていつか故郷に帰れる日が来るのだろうか、という先の見えない不安は計り知れません。

「大砂嵐」の四股名の由来

カイロは大気汚染がひどいことでも知られています。特に春先のハムシーンと呼ばれる砂嵐が吹き荒れる時期には、大気汚染問題は深刻化します。

この砂嵐は3月から4月にかけて時々発生し、たいていは1日で終わります。砂嵐の日は朝から空が一面、セピア色というかくすんだ黄色というか、そんな感じの砂色に染まります。気温の上昇で発生した低気圧が砂漠の乾燥した砂を巻き上げ、それが地上近くに降り注ぐことでこのような状態になると言われています。

低気圧が巻き上げ降らせるのは砂だけではなく、ＰＭ２・５やＰＭ10などの浮遊粒子状物質や二酸化窒素、二酸化硫黄といった大気汚染物質も含みます。ですからこの砂嵐が吹き荒ぶ日は、大気汚染物質の大量飛散日であると認識しなくてはなりません。こういう日は一日中、なるべく外出しないに限ります。ハムシーンの日は、さすがのペンマイ練習も中止になります。

ところでハムシーンというのは、文字通りにはアラビア語で数字の50を意味します。なぜ砂嵐のことをハムシーンと呼ぶのかについてハーガルに尋ねたところ、「そういえばなぜでしょう?」と逆に聞き返されてしまったので、調べてみたところ、

1　エジプト人は、この砂嵐が50日間隔でやってくると信じていたから
2　この砂嵐の時期が、だいたい50日程度続くから
3　砂漠の温度が、50度にまで上昇するから

等々、諸説あるようです。要するにエジプト人も、理由はよくわからないままハムシーンという呼び名を使っているようです。これもきっと「ファラオの呪い」です。

日本の大相撲界で史上初のアフリカ人力士でイスラム教徒力士でもあった人物は、「大砂嵐金太郎」という四股名のエジプト人ですが、この「大砂嵐」は別にハムシーンに由来しているわけではなく、当人の本名である「シャアラーン」の「シャ」を「砂」、「ラン」を「嵐」の字にあてたものだと本人が語っていました。砂嵐はエジプト人にとって厄介者なはずなのに「なぜ大砂嵐?」と不思議に思っていたのですが、この説明で納得しました。

千載一遇のチャンスを逃す

ところでペンマイは週に一度の練習を開始してもなかなか強くならず、ラムセス杯でも連戦連敗が続きました。みなで集まって飲んでいると必ず「なぜペンマイは勝てないのか」という話になり、やれ守備が弱いだの打撃が弱いだの言いながら次回の練習の方針を決め、ラムセス杯の前には直前練習や練習試合までしていたのですが、それでも一向に勝てませんでした。

ペンマイのメンバーは帰任や着任で頻繁に入れ替わるのですが、ある時、大学で野球部だったという人物がペンマイ入りしました。ペンマイとしてはいやが上にも期待が高まります。初めて練習に参加した彼は、ペンマイ史上誰も見せたことがないような素晴らしい打撃を披露し、これはすごい助っ人が現れたと盛り上がりました。

ラムセス杯本番を前にして行われた練習試合に、この大物助っ人入りのメンバーで臨んだペンマイは、練習試合とはいえ久々の勝利を収めました。「ついに悲願のラムセス杯一勝なるか?!」「いや、むしろ一勝は間違いないと言っていい!」と期待はますます膨らみます。

ところがなんと、この助っ人はラムセス杯の前に国外出張に出かけ、当日に間に合うようにカイロに戻ると言っていたのに戻らず、結局参加できなくなってしまいました。しかも彼のカイロでの任期は半年間のみで、次回のラムセス杯にも参加できません。ペンマイは千載一遇のチャンスをふいにしてしまいました。なおこの助っ人は、「次のラムセス杯には休暇をとって日本から駆けつけます!」と言って帰任したのですが、案の定、それが実現されることはありませんでした。

いつまでたっても勝てないペンマイですが、ラムセス杯についてある時、仲間内の一人が、「あれは『キングダム』に似ている」と言い出しました。『キングダム』というのは、2007年に公開されたジェイミー・フォックス主演のサスペンス映画です。2019年に公開された邦画の『キングダム』ではありません。

彼によると、『キングダム』の舞台はサウジアラビアで、そこの外国人居住地でアメリカ人たちがソフトボールを楽しんでいたところをイスラム過激派テロリストが襲撃する、というところから始まる話だとのこと。

その場が一瞬、凍りつきました。シチュエーションが、あまりにもラムセス杯とそっくりだったからです。彼以外の人は誰も『キングダム』を観たことがなかったので、どれだけヤバいかはわからないが、とりあえず一度観てみようということになりました。

『キングダム』の彼は映画好きで、中でも特に高倉健のファンだったので、彼の家ではよく健さん映画の観賞会が開催されていました。私はその時まで健さん映画を一度も観たことがなかったのですが、『ゴルゴ13』やら『大脱獄』やら『海峡』やら『駅』やらあれこれ観させられ、健さんの魅力について聞かされるうちに、ちょっとした「にわか健さんファン」状態になりました。上映中にうっかり寝たことも多かったのですが、少なくとも名シーンのいくつかは記憶に刻み込まれています。

この健さんファンの彼の家で、ある日『キングダム』上映会が開催されることになりました。

「これはヤバい」感満載の結末

舞台はサウジアラビアにあるアメリカの石油会社の従業員用居住地区です。そこにあるグラウンドで、アメリカ人たちがソフトボールの試合をしていました。お父さんの試合を応援する家族たちもいます。そこで突然、爆弾が爆発します。それに続き、テロリストたちが乗っ取った車を走らせながら人々に向かって銃を乱射し始めました。悲鳴を上げ逃げ惑う人々に対し、警官が手をあげ「こっちに逃げてこい」と合図をします。人々が一斉に彼の方に向かって走ってきたところで、この警官は人々を巻き添えにして自爆しました。この男は警官になりすましたテロリストだったのです。

これは『キングダム』のほんの冒頭部分なのですが、ここまで観ただけでも全員の中で「これはヤバい」感が飽和状態に達しました。アラブ、外国人、家族連れ、ソフトボール、テロリストといったあらゆる要素がラムセス杯にも当てはまる……と誰もが思ったからです。

ラムセス杯は毎回、カイロ市内にある某学校の所有する野球場で開催されていました。普段は在エジプトのアメリカ人などが使用しているらしいのですが、ここはなかなか立派な野球場です。しかし特別な警備などはなく、テロリストが侵入しようと思えば簡単に侵入できます。しかもエジプトは２０１１年以来ずっと治安が悪く、カイロ市内でも爆弾テロや銃撃戦が頻発していました。

ラムセス杯が『キングダム』状態になっても全く不思議ではない状況が、当時のエジプトには確かにありました。『キングダム』はフィクションですが、このソフトボール大会襲撃テロでは１００人以上が死んだという設定になっています。ラムセス杯に集う日本人も数百人規模です。

フィクションではあっても、『キングダム』の冒頭シーンの印象は強烈でした。次のラムセス杯ではいつも以上に周囲をキョロキョロ見渡したり、もしかしたらあいつは……といった目で見知らぬエジプト人を見たりもしました。

結果的にそれらは全て杞憂に終わり、ラムセス杯が『キングダム』状態になることはなく、またいつものようにペンマイは一勝もできませんでした。

私がエジプトにいる間に一勝もしなかったペンマイは、私の帰国後初めて行われたラムセス杯で久々の勝利を収めました。まるで私が疫病神だったかのような気分です。私は残念会にしか参加したことがなく、祝勝会には一度も参加することができませんでした。

エジプトから日本に戻った後も、ペンマイ・メンバーで集まる機会は時々あり、私たち一家が日本からタイに行く前にもみなが我が家に来て壮行会をしてくれました。

その後も結婚したり離婚したり、子供が生まれたり、私たちのようにまた別の国に行ったり、みなそれぞれの道を歩んでいます。ラムセス杯では負け続けましたが、それぞれの人生における本当の戦いは、まだまだこれからです。

8

エジプトのアルカイダ

エジプトのアルカイダ創設者、アシューシュ師。

ビンラディンは「正義のジハード戦士」

政治家の鳩山邦夫氏は法務大臣だった2007年に「友人の友人はアルカイダ」と発言し、大問題となりました。

しかしエジプトには一時期、友人の友人ではなく友人がアルカイダでも、家族がアルカイダでも問題ないどころか、アルカイダ系組織の立ち上げを宣言することすら許容されている時代がありました。

こうした「イスラム的自由」が認められていたのは概ね、2011年の「アラブの春」からムスリム同胞団政権が崩壊する2013年7月までのことです。エジプトではこの2年半の間、アルカイダやその指導者ウサマ・ビンラディンを公の場で称賛しても全く問題視されませんでした。今振り返ってみると、実に不思議な、ある意味貴重な時代でした。

カイロ中心部にあるタハリール広場に並ぶ露店にはアルカイダの旗がはためき、店員は「結構よく売れる」と言っていました。道端でアラブの有名人のブロマイドや写真付きのグッズを売る店でも、人気スターや著名政治家と並んでビンラディンのグッズが売られていました。店員は、「ビンラディンは結構人気があるよ」と言って笑っていました。

アメリカのピュー・リサーチ・センターが2009年に実施した調査では、エジプト人の23％、2011年の調査でも22％がビンラディンを非常に、あるいはある程度信頼していると回答しています。ビンラディンがエジプトのようなイスラム諸国で「結構人気」というのは、紛れもない事実でした。なお2009年の同調査ではインドネシア人の25％、2011年の調査では26％がビンラディンを信頼していると回答しています。ビンラディンは東南アジアのイスラム教徒の間でも、中東に負けず劣らず「結構人気」だったのです。

イスラム教徒の間でビンラディン人気が高いのは、イスラム研究をしている私から見れば当然のことです。彼らにとってビンラディンは「残忍なテロリスト」ではなく、「正義のジハード戦士」だからです。

近代以降、特に1948年のイスラエル建国以降、イスラム教徒の中に強固な反ユダヤ主義が巣食っているのは残念ながら事実です。今現在、自分たちイスラム教徒が不遇なのは、世界をユダヤ人が支配しているからだ、というユダヤ陰謀論を驚くほど多くのイスラム教徒が信じています。個人的には、ユダヤ陰謀論を信じていないイスラム教徒には出会ったことがない、と言っても過言ではありません。

私はユダヤ陰謀論など信じていないと主張すると、お前はそういうユダヤの陰謀にすっかり騙されている愚か者なのだ、と逆に憐みの目で見られます。イスラム教徒からすると、イスラム教だけが神に認められた唯一の正しい宗教であり、イスラム教徒こそが世界の覇者であるべきだというのが真実なので、おそらくその信念と現実の矛盾から生じる認知的不協和を解消する最も手軽な手段として、ユダヤ陰謀論が絶大な人気を集めているのでしょう。私がユダヤ陰謀論を信じていない、あるいは信じる必要がないのは、私がその種の認知的不協和を抱えておらず、ユダヤ陰謀論を必要としてないからだとも言えます。

自分にとっての当たり前が当たり前ではない、価値の逆転した世界は、パラレルワールドではなく現実の世界にも存在します。私がイスラム研究を本当に面白いなあと思うのは、私が学ぶことの全てがことごとく、私にとっての当たり前とは異なるからです。

ユダヤ陰謀論を信じて疑わないイスラム教徒は、ユダヤ人が支配し操っているのが超大国アメリカだと信じているので、彼らにとってアメリカは悪の権化にして象徴です。そのアメリカに、イスラム教徒として「ジハード」という正義の鉄槌を下したのがビンラディンなのですから、人気が出ないはずがありません。

少なからぬイスラム教徒にとってビンラディンは正義の戦士であり、ジハードという聖なる義務を実践することでイスラム教徒を覚醒させた指導者であり、憎きアメリカに一泡吹かせることで溜まりに溜まったイスラム教徒の鬱憤を晴らしてくれたスーパーヒーローです。人々は彼を表立って讃えることが許される状況下では公の場で彼を大いに讃え、それが許されない状況下では仲間内で彼を讃えます。

9・11はジハード時代の幕開け

私はアメリカ同時多発テロ事件が発生した2001年9月11日、フランスでイスラム教徒移民の友人たちと一緒にいました。テレビに映し出されたワールドトレードセンターの映像を食い入るように見つめる彼らの目の輝きを、私は忘れることができません。

彼らにとって9・11事件は、ジハード時代の鮮やかな幕開けでした。今日、この出来事をもってイスラム教徒の歴史は変わった、自分たちは今後どうしていくべきか、と興奮を隠さず真剣に語り合っていました。私自身、これは大変な時代が来たと実感せざるを得ませんでした。次に、これに匹敵する衝撃と「感動」を世界のイスラム教徒に与えたのは、2014年の「イスラム国」によるカリフ制再興宣言です。

国民の9割がイスラム教徒であるエジプトで、2012年11月に「エジプトのアルカイダ」こと「アンサール・シャリーア・エジプト（ASE）」を立ち上げたのがアフマド・アシューシュ師というジハード主義者です。当時「アンサール・シャリーア」を名乗る組織はチュニジア、リビア、イエメン、モロッコ、マリなど中東アフリカ各国に出現しており、いずれもアルカイダ系組織とみなされていました。

私はここにアルカイダの支部を立ち上げます！　などと宣言したら、たちまち当局に拘束されそうなものですが、この時期のエジプトはイスラム主義組織ムスリム同胞団出身のモルシ大統領の統治下にあり、それが許容される「イスラム的自由」がありました。実に特殊な環境です。

ビンラディンはサウジアラビア人ですが、彼の死後アルカイダの二代目指導者となったアイマン・ザワーヒリーはエジプト人です。ザワーヒリーは自身の弟であり同じくジハード主義者であるムハンマド・ザワーヒリーとアシューシュ師が協力関係にあったせいか、アシューシュ師を随分と気に入っているようでした。

２０１２年9月と10月にアルカイダが公開したザワーヒリーのビデオ声明では、二度にわたりアシューシュ師を称賛しました。また２０１７年2月に公開したビデオ声明では同師の映像を使いつつ、２０１２年6月にエジプト大統領に就任したモルシ氏について、「エジプトのジハード主義者に表現の自由を与えた」と述べ、彼は称賛されるべき賢い政策を実行したと評価しました。モルシ時代の「イスラム的自由」は、アルカイダ「お墨付き」だったと言えます。

ザワーヒリーはさらに、「モルシのおかげでシャイフ（師）たちはエジプト中でジハードの必要性について説くことができるようになり、カイロのダウンタウンやタハリール広場でデモを行うこともできた」「モルシ時代、ジハード主義者たちはジハードの必要性、アルカイダの支持、イスラム法による統治の必要性の呼びかけを行うことができた」とも述べました。

ザワーヒリーの言ったことは事実です。当時エジプトでは、それらの全てが確かに許されていました。自身もエジプト人で、かつてはムスリム同胞団員でもあったザワーヒリーの目には、モルシ時代のエジプトがある種の理想を体現していると映ったのでしょう。

アルカイダと「イスラム国」の大きな違いのひとつは、この点にあります。「イスラム国」は決して既存の国家権力には阿《おもね》らず、あくまでも既存秩序の完全破壊とイスラム教による世界征服を目指しますが、アルカイダはアフガニスタンのタリバンやエジプトの同胞団政権との関係に見られるように、時に既存の組織や権力と癒着し、協力関係を結びます。「イスラム国」はアルカイダのこのやり方を、反イスラム的であるとして厳しく非難しています。

受けとめ方は三者三様

同胞団統治時代のエジプトを代表するジハード主義者が、アルカイダ・エジプト支部を立ち上げたアシューシュ師や、「ピラミッドを破壊せよ」のムルガーン師です。

アシューシュ師は1960年、エジプトのブハイラで有力一族のもとに生まれ、1989年にアフガニスタン入りしてジハードを戦い、そこでビンラディンやザワーヒリーと知り合って寵愛を受け、エジプトに帰国後、逮捕・投獄され、2011年の「アラブの春」後に釈放された、という筋金入りのサラフィー・ジハード主義者です。

釈放された彼は2012年4月、アルカイダの黒旗を掲げる集団とともにタハリール広場に現れ、「我々は人々にイスラム法適用の必要性を知らせ、人々をカリフ制イスラム国家建設へと導くためにタハリールにやってきた」と述べました。アシューシュ師は、民主主義に基づく政治プロセスは反イスラムなので否定する、現行のエジプト憲法と実定法に基づく統治も否定する、我々の掲げる標語は「『コーラン』が導き、剣が勝利する」であり、イスラム教はそれにより必ず勝利する、などと演説しました。

アラブの大国エジプトの首都カイロの中心部で堂々とカリフ制再興を唱える人が現れたことは、世界中に波紋を広げました。エジプト社会も騒然とし、人々はそれぞれ様々な反応を示しました。

うちのサラフィー運転手は「いよいよオレたちの時代が来た」と言わんばかりに、興奮を隠せない様子でした。彼がムルガーン師を一目見るなりすっかり心酔してしまったのは、「ピラミッドを破壊せよ」で記した通りです。

ヒジャーブをした助手のハーガルは、「これは私たちの望んでいるものではない」と不満や懸念を示しました。ハーガルは、社会でイスラム的価値観が尊重されることを望んではいましたが、必ずしもイスラム法による統治は望んではいませんでした。

ビールが大好きで極めて世俗的な別の男性スタッフは、「エジプトをこいつらの手に渡してなるものか」と戦闘意欲を燃やしていました。彼は、イスラムの政治化こそがエジプト社会の後進性の元凶だと考えていました。

三人ともエジプト人イスラム教徒ですが、意見は三者三様です。

立場が変われば正義も変わる

それから約1カ月後、アシューシュ師へのインタビューが実現しました。彼もムルガーン師と同様に、いやにあっさりとインタビューの申し込みを受けてくれました。その理由はのちに判明することになります。

ムルガーン師と同様に、アシューシュ師もインタビューと映像の撮影は認めたものの、私が目の前にいることは認めませんでした。サラフィー主義者にとって女は所詮「全身恥部」なので仕方がありません。ムルガーン師の時と同様に、カメラマンの背後に隠れてインタビューに臨みます。

慣れというのはなかなか侮れないもので、私は「全身恥部」だの「オレから見えないところに隠れろ」だの言われることにも、次第にそれほどショックを受けなくなっていました。しかしこれはあくまでインタビューという目的のための一時的な措置であり、未来永劫「全身恥部」として生き続けろと言われたら、私はそう易々と受け入れることはできません。

しかしそんな文句が言えるのも、私が非イスラム教徒の日本人だからです。イスラム教徒として生まれ育った女性たちには、そのような抵抗の余地はほとんどありません。

私はしばしば、もし私がイスラム教徒としてエジプトに生まれていたら、あるいは内戦下のシリアやイエメンに生まれていたら……といった想像に耽る癖があります。女だったら抑圧状態に大人しく耐え続けるというのは想像しづらく、自由を求めて逃走していたかもしれませんし、逃走しようとして親族に捕まり殺されていたかもしれません。男だったらジハード戦士になったかもしれませんし、自爆を志願したかもしれません。パレスチナには自分の息子をジハードで失ったことを誇り、イスラム教徒の母たるものはこうあるべきだと主張する女性たちがいますが、私も同じ立場だったら彼女たちのようになっていたかもしれません。

これは私が、彼ら、彼女らの行動を全面的に支持していることを意味しません。「立場が変われば正義だと信じるものも当然変わる」という認識が、私の思考の根底には常にあるという、それだけのことです。世界の多くの人たちにとって正義だと信じるものが同じではなく、平和の意味内容も異なるからこそ、世界から戦争はなくならないのです。

アシューシュ師はインタビューに先立ち、あなたたちに是非伝えておきたいことがある、と言い出しました。表情は妙ににこやかで、なにやら不穏な予感がします。

「我々は今日、あなた方が来てくれたことを非常に嬉しく思う。なぜなら我々は、日本人にイスラム教への入信を呼びかけたいからだ。日本人が西洋のやり方に従っているのは実に残念だ。日本は広島、長崎に原爆を落とされるなど、アメリカにはさんざん痛めつけられ、抑圧されてきたではないか。イスラム教について是非学んでほしい。学びさえすれば、イスラム教こそが唯一の真理であることがわかるはずだ。入信すれば、あなた方は新しい力を手に入れることができる。神があなた方をイスラム教へと導いてくださいますように」

なるほど、そうきたか。

わざわざ話を聞きたいと言ってきたのだから、この日本人はイスラム教に関心があるに違いない、これは期待できるぞ、と思われたようです。アシューシュ師がアルカイダ・エジプト支部の立ち上げを宣言したのはこのインタビューの数カ月後のことですが、私たちはそのアルカイダ・エジプト支部長から、日本人にイスラム教への入信の呼びかけメッセージを伝えるよう直々に仰せつかったわけです。なかなか複雑な気持ちです。

日本国民1億2000万人が、日本国の経済力をもってアルカイダ入りする——。彼らからすれば、想像するだけでも「夢のような話」です。その夢の実現如何が私の双肩にかかっているのかと思うと、その重圧たるや、ただでさえ凝っている私の肩に子泣き爺がしがみついてきたかの如くです。

イスラム教はあくまで研究対象

アシューシュ師にはもちろん言いませんでしたが、私自身、もう長らくイスラム教について学びながら、未だにイスラム教に入信したいという気持ちになっていません。イスラム教は研究対象としては実に興味深いのですが、私にとってそれはどこまでいってもあくまで研究対象です。

イスラム教では、人間というのは全てイスラム教徒としてこの世に生まれると考えられています。それによると私も、生まれた時はイスラム教徒だったことになります。しかし私が生まれたのはイスラム教徒のほとんどいない日本であり、親族にも周囲にもイスラム教徒はいません。私が不信仰者になってしまったのはそうした環境のせいだ、とイスラム教では信じられています。

しかしどんな不信仰者も、長じてイスラム教について知ったならば、たちまち人間としての本性がイスラム教に惹きつけられてイスラム教に入信する、というのがイスラム教の教えでもあります。ところが私ときたら、20歳の頃からイスラム教を勉強し続けているのに、いまだに入信していません。これはイスラム的には、私は正しくイスラム教について学べていないか、もしくはどうしようもなく本性が病んでしまっている、と理解されます。

『コーラン』第2章10節には、イスラム教を拒否する不信仰者について、「かれらの心には病が宿っている」とあります。特に自覚はないのですが、私の心には病が宿っている可能性があります。

一方実生活においては、アラビア語を話し、イスラム法を学ぶ私のことを「お前はすでにイスラム教徒なのだ」と「認定」するイスラム教徒も多くいます。そんな時、私は一応、「いやいや私は信仰告白していないからイスラム教徒ではない」と否定するのですが、彼らは私がアラビア語を話したり、『コーラン』をある程度暗唱できたり、ハディースやイスラム法規定に妙に詳しいところなどに、「この人間は本当はイスラム教徒なのだ」という「証拠」を見出して「安心」しているので、あまり意味はありません。

なぜ彼らはそんな「安心」を求めるかというと、『コーラン』第98章6節にあるように、イスラム教では異教徒は来世で確実に地獄に行き、地獄で永遠に苦しむとされているからです。私のことを「いい奴」と認定したならば、彼らとしてはそんな私がみすみす地獄に堕ちるのを見過ごすわけにはいきません。「この人間は、本当はイスラム教徒なのだ」ということになれば、彼らは自らを責めずに済み、心安らかでいられます。

アシューシュ師が、日本人のインタビューを受けたからには日本人をイスラム教に導くために一言申さなければならないと考えるのは、イスラム教徒としては当然であり自然です。アラブ人イスラム教徒のなかには、日本人にその「ポテンシャル」があると思い込んでいる人が多いのですが、それはおそらく彼らが学校で日本について、「日露戦争でロシアを破るほどの強国だったにもかかわらず、広島と長崎に原爆を落とされてアメリカの支配下におかれた」と習い、ゆえに彼らの多くは「だから日本は反米国家だ」と思い込んでいることと関係しています。

アシューシュ師のように、相手が日本人だと知ると急に「広島、長崎」に言及し、だから我々はともに手を携え憎きアメリカ帝国主義を倒そうではないか、そのためにも早くイスラムに入信しよう、と熱心に誘ってくるイスラム教徒は少なくありません。彼らの日本認識は極端に偏っているのですが、それによって何やら妙な仲間意識や親近感を持たれるのも事実で、こちらとしてはその方が好都合な場合も多く、そんな時は私もその勘違いを指摘したりはしません。たとえ誤解に立脚していようと、コミュニケーションの円滑さが優先されてしかるべき場面というのは存在します。

古典的ジハードと防衛ジハード

アシューシュ師にはまず、彼が掲げる「『コーラン』が導き、剣が勝利する」という標語の意味について尋ねました。

すると同師は、それは中世のイスラム思想家イブン・タイミーヤ（1328年没）の「宗教（イスラム教）の基礎は、啓典が導き、剣が勝利する」という言葉に由来しており、これは『コーラン』が我々を闇から光へと導き、剣が我々を勝利へと導くという意味だ、と説明しました。

一方で彼は、剣はあくまでも「防衛」のためのものだと強調し、次のように述べました。

「我々の目的は全世界をイスラム法によって統治することだ。そのためにはまず、エジプトを帝国主義の支配から解放しなければならない。しかし我々は戦闘や流血を呼びかけているわけではない。我々の宗教、尊厳を帝国主義の支配から剣によって防衛し、自由、尊厳、公正を取り戻そうと呼びかけているだけだ。我々の呼びかけは攻撃的ジハードではなく、あくまでも防衛ジハードである」

防衛ジハードというのは、近代のイスラム思想家が編み出した概念です。

イスラム法で正統とされる古典的ジハード概念は、イスラムによる世界征服が実現されるまで異教徒に対する軍事攻撃（ジハード）が継続される、というものです。しかし近代になるとイスラム思想家たちの中に、実は歴史的に実行されてきたジハードはすべて防衛のための戦争だったのであり、その意味でジハードは近代の国際法においても正当と認められるのだ、という防衛ジハード論が唱えられるようになりました。西側世界で評判の悪いジハードについて、それは決して近代の国際法に抵触してなどいないのだと論じることにより、イスラム勢の劣位を払拭する意図があったからです。

アシューシュ師が外国人である私に対し、我々は防衛ジハードを呼びかけているだけだと強調したのは、それが近代国際法的にも正当な戦争だと主張するためです。これは典型的な「イスラム擁護論」なのです。

しかし彼は、イスラムによる世界征服が目標だと明言してもいます。防衛によって世界征服を実現するという主張は一見、意味不明ですが、これにも背景があります。

イスラム教徒にとってイスラム教は、唯一の普遍宗教です。イスラム教を世界に広め、世界の人々を正しい道へと導くのは彼らの義務です。ゆえに彼らは、イスラムの拡張、宣教を妨害する存在から、イスラムの拡張、宣教を「防衛する」義務も負うのだ、と考えます。ここから、つまりイスラムの拡張、宣教を認めない敵との戦いは全て防衛ジハードなのだ、という理屈が捻り出されます。

要するに彼らはイスラム擁護論の立場から、ジハードの近代国際法的正当性を主張するために防衛ジハードという言葉を用いてはいるものの、その「防衛」は実際には「攻撃」を意味しているのです。アシューシュ師は私を防衛ジハード論で騙せると思っていたかもしれませんが、残念ながら私はそのからくりも、それが詭弁であることも知っています。簡単に騙されたりはしません。

アシューシュ師は民主主義を「西洋に由来する多神教の一形態」とし、それは神に属すべき主権を人間に与えているので反イスラムであり、よって我々は現存する全ての政治体制を拒否すると述べてから、「そこで我々が対案として提示するのがイスラム法による統治だ」と話を続けます。

彼は、「日本人には、イスラム法はすべての人をその人にふさわしいやり方で扱う、極めて公正な法だということを知ってほしい。我々は我々の土地を帝国主義から解放し、この公正なる法によって統治することを目指している」と述べました。

イスラム法における「公正」というのは、同師が説明しているように「すべての人をその人にふさわしいやり方で扱う」という意味で、これは私たちに馴染みのある西洋近代的な意味での平等や同権とは全く異なります。

例えばイスラム法では、神は人間を男と女として創造し、男には男にふさわしい権利と義務を、女には女にふさわしい権利と義務を与えたと考えます。男女それぞれの権利と義務は異なるが、男女は「それぞれにふさわしい権利と義務を与えられた」という点において等しい、これこそが公正だ、という理解です。

イスラム法は、男は女を扶養するのだから男が女の上に立つのは当然である、女は男よりも信仰の点でも理性の点でも劣っている、女は男の半分の証言能力しか有さず、女は男の半額しか相続する権利がないなど、私たちが「男尊女卑」「不平等」と認識する規定を、この「イスラム的公正」の名の下に正当化します。

イスラム教は人種差別をしない

アシューシュ師は「日本人のために、民主主義とイスラム教の違いについて説明しよう」と述べ、南アフリカを見れば明らかなように民主主義は人種差別をするが、イスラム教は人種差別をしない、イスラム教が認めるのは宗教による差別だけだと主張しました。またアメリカが共産主義政党を認めないことから明らかなように、民主主義は自由を認めないが、イスラム教はユダヤ教徒にもキリスト教徒にも自由を与えてきた、イスラム統治下では誰もが自由なのだ、と続けました。

イスラム教は「公正」ですから、イスラム教徒にはイスラム教徒にふさわしい権利と義務が、異教徒には異教徒にふさわしい権利と義務が与えられます。唯一の正しい宗教を受け入れない異教徒が劣った者として差別されるのは、劣った者にふさわしい扱いを受けているだけのことなので、その差別は「公正」とされます。一方異教徒には、いつでもイスラム教に入信する「自由」が保障されています。これらをもってアシューシュ師は、民主主義に対するイスラム教の「絶対的優位」を主張しているのです。

同師は自由、公正、差別、民主主義といった私たちにとっても身近で重要な概念を用いてイスラム教の絶対性、優位性について論じてはいるのですが、それらの概念の含意、指示するものは、私たちのそれとは明らかに全く異なっています。普遍的な概念を用いることによりうまく論点をずらし、問題をすり替え、言葉巧みに相手を翻弄し、民主主義や自由主義といった近代の産物に対するイスラム教の優位を説くのは彼らの常套手段です。

彼らの詭弁や戦略、意図について無知な人々が、わけのわからないまま彼等のペースに巻き込まれると、いつの間にかイスラム擁護論者になっていたりします。私自身、そのような日本人や外国人を何人も見たことがあります。研究者やジャーナリストのなかにも、こうした人々は多くいます。

アシューシュ師には、アルカイダとの関係についても尋ねてみました。すると「我々はアルカイダとつながっている」と、実にあっさりと、そしてはっきりと、関係性を認めました。「我々はアルカイダだけではなく、イスラム教の勝利とイスラム法による統治を目指す全てのジハード戦士たち、世界中のアンサール・シャリーアとつながっている」とも述べました。

本人がこう宣言しているのですから、間違いありません。この人はアルカイダなのです。

私が暮らしていたエジプトという国は、少なくともこの時期には、アルカイダが大手を振って闊歩できる国だったのです。イスラムによる世界征服を目標に掲げ、敵を軍事的ジハードで倒すことを正義と信じる彼等に、発言と活動の自由が与えられていたのです。

なんだかこう書いてしまうと恐ろしげですが、どちらかというと私は、この時期のエジプトに暮らしたことで研究者として得難い経験をしたと肯定的に受け止めています。危険もストレスも多くありましたが、幸い私も家族も無傷で過ごすことができたので、そのように前向きに評価することができるのでしょう。自分自身や家族が爆弾や銃弾で負傷したり死んでいたりしていれば、受け止め方は全く違っていたはずです。

私は文献研究者なので、ジハード理論やイスラム法による統治の絶対性についての文献は7世紀のものから現代のものまで数多く読んできました。しかし私が文献で読んできた思想そのものに立脚して活動するイスラム主義者自身の口から、それが語られるのを聞くのは、別次元の意義があります。

ジハード主義もサラフィー主義も、決して単なる「文献上の思想」ではありません。それは過去のもの、歴史的なものではなく、「生きた思想」であり、実際にその思想を生きている人たちが今の時代に存在し、多くの人がその思想に駆動され行動しているのです。しかもエジプトにおいては、その思想を持つのは非常に限られたごく少数の「過激派」ではありません。うちのサラフィー運転手のように、すぐ隣にいる市井の人々の中にも、サラフィー主義者やジハード主義者はいるのです。エジプト時代を経て、私が現代のイスラム世界を主な分析対象とし始めたのは、こうした体験に大きく影響されたからです。

二重の意味で見下される立場から

7世紀に下された『コーラン』を神の言葉そのものと信じ、それに従って生きることこそが正義だと信じるのがイスラム教徒です。神なんているわけがないとか、『コーラン』なんてどうせ人間のでっち上げに決まっているという考えを表明することは、イスラム教徒の家庭やイスラム教徒が多数を占める社会では今も基本的に許されません。

そういった社会では、神の存在や来世の存在を信じていなかったり、自分は無宗教だと宣言したりする人は極めて少ないだけでなく、人間として信頼に値しないと蔑視されます。日本人が一般的に持つ宗教観は、彼らにとっては眉を顰めるような、不快で理解し難いものなのです。そこには私たちの考えるような表現の自由、信教の自由はありません。

私が折に触れてその点を強調するのは、私がうんざりするほどその違いを経験してきたからです。

イスラム教についての私の論調が他の「専門家」と異なる原因はいくつもありますが、そのひとつは、私が「単なる一人の日本人の異教徒の女」として、多種多様な層に属するイスラム教徒と話をしたり付き合ったりしてきた経験があるからです。大学教授や外務省高官といった「立派な肩書き」を持つ権威ある立場でしか彼らと接したことのない人たちとは、全く異なる経験をしてきたはずです。

イスラム世界では、私のような人間は、異教徒であり女であるという二重の意味で見下されます。肩書きがあれば立派な人間として扱ってもらえる場も多いでしょうが、私には肩書きもないので、大概は「偽善的に振る舞う必要すらない相手」とみなされます。散々見下され、馬鹿にされ、威張り散らされてきましたが、彼らが私に対し、そうした偽善抜きの正直な対応をしてくれたことも、今となっては貴重な体験です。

2013年7月にモルシ大統領が権力の座を追われ、エジプトから「イスラム的自由」が失われると、アシューシュ師は再度逮捕され収監されました。アルカイダが自由に闊歩することのできる時代は終わったのです。

2014年6月には「イスラム国」がカリフ制再興宣言をし、11月にはエジプトのシナイ半島で「イスラム国シナイ州」の樹立が宣言され、エジプトでも「テロとの戦い」が開始されました。

「イスラム国シナイ州」は、アシューシュ師のようなアルカイダ、モルシ大統領のムスリム同胞団とは無関係に、急に樹立されたわけではありません。

「イスラム国」入りを宣言したアンサール・バイトゥルマクディスという武装組織は、テロ組織指定され地下組織化したムスリム同胞団員の一部によって結成されました。彼らは「エジプト国民よ、いつまで背教者の圧政下に甘んじているつもりなのだ？ 神の命令に従い、剣をもって立ち上がり、神の道において悪魔どもと戦い、エジプトに『イスラム国』を建設しようではないか」と呼びかけるビデオを公開し、その後正式に「イスラム国シナイ州」として「認可」されました。アシューシュ師という指導者を失ったエジプトのアルカイダも、一部はここに合流したとされています。

アシューシュ師の「自由」はついえましたが、私自身は少しだけ自由を取り戻した気がしました。しかしエジプトは「イスラム的自由」を封印した瞬間から、エジプトの、そして世界のイスラム化をもくろむイスラム過激派との新たな戦いの局面に入りました。

自由というのは普遍的概念でも、人類共通の理想でもありません。ある人にとっての自由は別の人にとっての屈辱だったり、ある人の目指す自由が別の人にとっての監獄だったりするのです。だからこそ概念や悪意ある言葉遊びに翻弄されず、現実を自分の目でしっかり見なければならない——。私は常に、そう肝に銘じています。

9

牛の腹

拾い集めてきたゴミを分別する「牛の腹」の住民。

エジプトのスラム問題

いわゆる「アラブの春」後、エジプトで最初に実施された選挙は2011年11月の人民議会選挙でした。

選挙管理委員会は第一回目の投票率は過去最高の62%に達したと発表し、「ファラオの時代以来、最も高い投票率だった」と高く評価しました。しかし私の中では何か釈然としないものが残りました。人々が「革命」にあれほど熱狂し、独裁者ムバラクの退陣と民主化を心から喜んでいたように見えた割には、投票率が低いような気がしたからです。

選挙は民主主義の基本です。発表された投票率から判断するならば、エジプト人の4割はエジプトの民主化に無関心か、あるいは反対していることになります。

イスラム諸国で選挙が実施される場合には、常にイスラム教が問題になります。神の法にのみ従うべきだと信じるイスラム教徒の中には、民主主義を反イスラムとみなし、選挙という民主主義プロセスに参加するのを忌避する人々がいるからです。タリバンや「イスラム国」、アルカイダなどが選挙集会や投票所を標的としてテロ攻撃をするのも、彼らが選挙を反イスラムであり神への反逆とみなしているからです。

ムルガーン師のようなジハード志向のサラフィーたちも、選挙を反イスラムとみなします。しかし今回の選挙には、サラフィー政党も多く参加していました。そのひとつであるヌール党は、「合議（シューラー）という概念は『コーラン』に由来している」として政治参加を正当化し、選挙では予想を大幅に上回る46議席（全体の26％）を獲得、ムスリム同胞団の自由公正党に次ぐ第二党となりました。少なくとも今回の選挙に関して言えば、サラフィーはかなりの程度、選挙参加していたのです。もちろん選挙を反イスラムとするサラフィーは、選挙参加するサラフィーを「偽善者」だと批判しました。

一方、かねてから私が気になっていたのは、エジプトに膨大に存在する貧困層の人々です。選挙前、エジプトのメディアは頻繁に「アシュワーイヤート」と呼ばれるスラムに住む人々のことをとりあげ、スラム住民が関心を持っているのは選挙ではなく、政党から配布される食料品などが入ったいわゆる「シャンタ（袋）」だけだとか、スラム住民の支持を狙いイスラム政党がスラムで熾烈な争いを繰り広げているといった報道をしていました。

カイロ市内にあるスラム開発基金という政府系機関を訪れると、広報担当者はスラムに関するたくさんの資料を提供してくれた上で、「スラムはエジプトの抱える時限爆弾だ」とその深刻さについて語ってくれました。時限爆弾というのは、早期にスラム問題の解決に着手しない限り、いつか爆発してエジプト全体に甚大なダメージを与えることになる、という意味です。

２０１１年の中央国家統計局の発表によると、スラムはエジプト全土に１２２１カ所あり、そこに住む住民は１２００万人から１６００万人とされています。つまり、エジプト人の５人に１人はスラムに住んでいるということです。スラムは１９８０年代には８９０カ所だったので、その数は明らかに増加しています。

貧困層に属する住民の数も増えています。世界銀行は２０１１年当時、国際貧困線を一日1・25ドルとし、一人一日１・25ドル以下での生活を低所得、栄養不良、不健康、教育の欠如など人間らしい生活から程遠い状態にある「極度の貧困」と定めていました（２０１５年以降は１・９ドル）。

エジプトでこの「極度の貧困」にあたる生活をしている人は２００８〜２００９年には27％でしたが、２０１０〜２０１１年には30％に増加しました。

スラム開発基金によると、スラムの中でも特に治安が悪く、建物崩壊の危険性が高く、上下水道や電気といったインフラも未整備であるなど劣悪な環境にある「危険地区」は、エジプト全土で３８３カ所、カイロには57カ所あります。

スラムとそこに蔓延《はびこ》る貧困は、エジプト社会の深刻な問題です。私はエジプトに暮らしている以上、これは絶対に目をそらしてはならない問題だと考えていました。しかしスラムはよそ者の外国人が不用意に訪れたりすることのできない場所です。なぜならそこは文字通り「危険地区」だからです。

スラム支援活動を行う地元NGOなどにいくつか問い合わせたところ、オールドカイロ地区にあるバトヌルバアラというスラムなら案内してもいい、というところが見つかったので、是非にとお願いしました。

見たことのない世界

バトヌルバアラは、アラビア語エジプト方言で「牛の腹」という意味です。約12ヘクタールにわたって広がり1万人以上が暮らすこの地区は、牛のお腹のような形状をしていることから、そう呼ばれるようになったと言われています。アフリカ最古のモスクとされるアムル・モスクを抜けて南に下ると、コプト教会やユダヤ教のシナゴーグが残る史跡地区があります。「牛の腹」があるのは、そのさらに南側です。オールドカイロと呼ばれるこの一帯だけでも、「牛の腹」を含めてスラムが14カ所あります。

NGOの人に案内してもらった「牛の腹」の内部は、見たことのない世界でした。一歩その中に足を踏み入れると、道にたむろしていた住民の目が一斉にこちらに向けられます。前方には、女性同士が摑み合い怒鳴り合いの喧嘩をしているのが見えます。砂だらけでボロボロの服を着た子供がたくさん寄ってきて、お金をねだります。よそ者が現れたらそうするのが習わしなのでしょう。

舗装されていない道の両側に、日干しレンガや廃材で作られた住居が並びます。張り出した二階は、なにかのはずみですぐに倒壊しそうな脆さに見えます。真っ黒に見えたもののそばに近寄ると、ぱっと一斉に虫が飛び立ち、ハエがたかって真っ黒に見えていただけだとわかりました。

ムスリム同胞団の政党である自由公正党の候補者のポスターが、ボロボロになった状態でまだあちこちに貼られています。同胞団の選挙活動がこの地区まで及んでいたのは明白です。地べたに座り込んだ2歳くらいの子供にも、たくさんのハエがたかっています。全身が砂まみれで、顔は目ヤニや鼻水で覆われています。親の姿はどこにも見当たりません。NGOの人によると、この地域の子供は予防接種を全くうけておらず、ほとんどの住民が常に何かしらの病気にかかっているそうです。

あちらこちらにゴミが堆く積まれ、鼻をつくような臭気が満ちています。NGOの人が、ここには下水道がなく住民はあちこちに汚物を捨てるのでしかたがないのだ、と説明してくれました。

不満はあるけれども期待はしていない

その後も私は、何度か「牛の腹」を訪れました。

とは言っても、いつも必ずハーガルやうちの運転手を含む数名と一緒に行きます。NGOの人にも、外国人の女が一人で来るような真似は決してしてはいけない、と念を押されました。万が一私がここでトラブルに巻き込まれるようなことになれば、住民にも案内をしてくれたNGOにも迷惑がかかります。

うちの運転手は殴りかかられたらすぐに負けそうではあるものの、見た目は立派なサラフィーなので、なんとなくいちゃもんをつけてはいけない、と思わせる効果がありそうです。私自身はこれまたいつもと同じで、子供にも大人にも散々「中国人！」と言われるのですが、行くたびにこれでもか！　というほどお菓子を配り歩いていたせいか、次第にすっかり懐いてくっついて回り、やたらに話したがる子供も出てきました。

最初に訪れたときには極めて猜疑心の強かった住民たちの中にも、次第に態度を軟化させる人が現れ始めました。なんだかわからないよそ者だけど、少なくとも悪いことをするわけではなさそうだ、と思うようになったのでしょう。

そういった人々にここでの生活について聞くと、下水がないなど非常に不衛生であること、病院も薬局もないので病気や怪我をしてもなす術がないこと、ほとんどの人がゴミ収集などわずかな日銭を稼ぐ仕事しかないこと、子供たちにまともな教育を受けさせることができないことなど、山積する問題について口々に不満を訴えました。

さきの選挙について尋ねると、投票に行った人と行かなかった人の割合は半々程度で、投票した人の中にはムスリム同胞団に投票したという人も複数名いました。同胞団はこの地区で小麦粉や米、砂糖、油など食料品の入った「シャンタ（袋）」を配布した他、投票日当日にマイクロバスを出し、ここの住民を投票所まで連れて行き、投票用紙を投票箱に入れるまで「支援」したそうです。こうした証言は、スラム住民への手厚い「支援」が選挙での同胞団圧勝に大きく貢献したというメディアの分析を裏付けます。

しかし投票に行った人の中で最も目立ったのは、「投票に行かないと罰金を取られると聞いたので行った」という人と、「誰だかわからないけれど、人に言われるがまま投票した」という人の声です。よくよく聞くとそのほとんどがムスリム同胞団に誘導されて投票したようなのですが、彼らは同胞団の「支援」に感謝しているわけでも、同胞団を支持しているわけでもありませんでした。

彼らは現状に多くの不満があるのですが、だからといって政治にも同胞団にも期待しているわけではないようでした。というより政治や民主主義の意味、選挙とは何なのかということを、多くの人が理解していないようでした。ムスリム同胞団についてどう思うかと尋ねても、「知らない」「わからない」と答える人が多く、誰に大統領になって欲しいかと聞いても「いい人なら誰でもいい」といった回答が返ってきます。シャンタをくれる人はいい人だ、と答える人も多くいました。

住民の中には「神なんていない。神がいたら、オレたちがこんなにひどい暮らしをしているはずはない」とか、「オレは礼拝なんてしない。神なんていないからだ」など、通常イスラム教徒が人前で口にするのを憚るような発言を躊躇なくする人もいて、大変驚きました。神への信仰すら失った人々に、人や人の行う政治への期待があるはずもありません。「アラブの春」や革命の背後には、それらの恩恵など全く受けず、そんなものには関心を持つことすらない人々が膨大に存在することを思い知らされました。

イードさん一家

私たちは、ここに住むイードさん一家に家や仕事の様子を見せてもらいました。

イードさんの家には床がありません。イードさんの家だけではなく、「牛の腹」にある家の多くが、泥土の上に直接建てられています。家の入り口にはアラビア語で「アッラーフ・アクバル（神は偉大なり）」と書かれています。欧米ではイスラム過激派がテロ攻撃をする前に叫ぶセリフとして有名になりましたが、イスラム教徒にとっては神を称える大切な言葉です。

家の中には3匹のヤギがいて、悠々と歩き回ったり、座り込んでじっとこちらを見ていたりしています。地面にはヤギのフンやら器やらおもちゃに加え、使うものなのかいらないものなのかわからないような様々なものが雑然と散らばっています。汚れた毛布や服が積み重なった一角があり、別の一角では小さな子供たちが集まって座り込み、歌を歌いながら遊んでいます。

入ってすぐの場所には地面に40センチメートル四方ほどの大きさの穴が掘られており、そこには汚泥が溜められ、その上はシートで覆われていました。ここがトイレです。イードさんの妻のマイヤーダさんは、夜になると1日分を汲み取り、「道」に捨てに行くと言っていました。「道」に捨てた後どうなるの？と聞くと、そんなのわからない、どうでもいいわ、と言われました。

イードさん自身は妻のマイヤーダさんと3人の子供の5人家族ですが、この家にはイードさんの兄の家族も一緒に住んでいました。聞けばマイヤーダさんは、イードさんの兄の娘だと言います。つまりイードさんは自分の姪と結婚したわけで、兄嫁が義母ということになります。

スラムではこうした近親婚が非常によく見られます。なぜならエジプトでは通常、結婚する際に夫は妻に多額の婚資を支払わねばなりませんし、住むための家も用意しなくてはなりませんが、近親婚によりそれらの支払いを回避することができるからです。イードさんは兄の娘と結婚することで婚資を支払わずにすみ、兄の家に一緒に住むことで家を用意せずにすんだのです。近親婚には、貧しい人々が結婚から溢《あぶ》れないようにするための方策、親戚同士の互助といった側面があるのです。

マイヤーダさんと彼女の母親は、13歳しか年が離れていませんでした。つまりイードさんの兄嫁は、12歳の時に妊娠し、13歳の時にマイヤーダさんを出産したことになります。

エジプトでは結婚最低年齢は18歳（以前は16歳）と定められているので、この法律には明らかに反しているのですが、スラムや農村部では極端な早婚、児童婚が今も多くみられます。

ここには宗教的な理由と現実的な理由があります。

イスラム教の預言者ムハンマドの最愛の妻はアーイシャという女性だったとされていますが、ムハンマドがこのアーイシャと婚約したのは彼女が6歳もしくは7歳の時で、9歳もしくは10歳の時に結婚して夫婦関係を持ったとハディース（預言者ムハンマドの言行録）に伝えられています。預言者ムハンマドはイスラム教徒にとっての完璧な手本とされているので、9歳の女子は十分に結婚できると信じられているのです。それだけでなく、アーイシャの事例は、女子は早く結婚すればするほど夫に愛される、だから早く結婚したほうがいい、という認識の源にもなっています。

また結婚すれば、妻を養う義務は夫に課されるため、父は娘の扶養義務を免れます。また父は、夫となる男性から婚資を受け取ることもできます。娘を早くに嫁入りさせることは、現実的なメリットもあるのです。

たとえ国の法律で結婚最低年齢が決まっていたとしても、役所に届けを出さなければいいだけの話なので、実質的にはいくら児童婚をしようと何ら問題は生じません。

エジプトをはじめとするイスラム諸国で児童婚が今も多くみられるのは、そもそもそういった諸国では誰もそれを問題だと認識していないどころか、それはイスラム教徒としてよい行いなのだと信じられており、現実的なメリットも大きいからです。

ゴミに埋め尽くされた屋上

イード家の内部には、いつも誰の子なのかよくわからない子が地べたに転がされていたり、どういった関係にあるのかわからないおじいさんやおばあさんがうろうろしていたりします。実に混沌としています。なんだかいちいち関係を問いただしてはいけないような気がして、私はありのままを「そういうものなのだ」と理解しようとしました。

イード家の食事は一日二回で、メニューはいつも同じです。汚れたテーブルの上にターメイヤと呼ばれる豆のコロッケとトルシーと呼ばれる野菜の酢漬け、それにイーシュと呼ばれるパンが直に載せられ、それらを手摑みで食べます。手を洗ったり、テーブルを拭いたりすることは全くありません。食べ物の上にはハエがたかっていますが、誰一人、気にするそぶりも見せません。

イード家では料理というものを全くしません。材料を買ってきて料理をするには水もガスも必要ですし、ゴミも出るし手間暇もかかるからです。下水がないので水を流すことができないのも、料理をしない理由の一つです。スラムの内部にある売店で安い食べ物を買って食べるのが、彼らの日常です。

スラムの中にはターメイヤやイーシュなどを売る店のほかにも、お茶やお菓子、生活必需品を売る店や、床屋、携帯電話屋などもあります。スラム住民の生活は、ゴミを拾い集めるといった仕事以外は、基本的にスラム内部で完結しています。

　イードさん一家はゴミを拾い集めてきて売れるものを分別し、業者に引き取ってもらって現金化するのを仕事にしています。家の前には比較的軽いゴミが積まれ、マイヤーダさんと子供たちがそれらを服などの布、ビニール袋、ペットボトル、缶などのように分別していきます。隣ではロバが、そのゴミの中から食べられるものを探して引っ張り出し、なにやらむしゃむしゃとしています。

　家の屋上に上がってみると、そこも全体がゴミで埋め尽くされていました。私から見るとどのゴミが何なのか全くわからないのですが、イードさんがそれらを次々と分別していきます。靴からゴムの靴底を引き剝がしたり、廃材から釘を引き抜いたりしていきます。

　イード家の屋上から見回すと、周囲の家の屋上という屋上が、椅子やら棚やら鉄屑やら窓枠やらタイヤやら布やダンボールやらガラス瓶やらコードやら、いったいどこから持ってきて、どういう理由で屋上に引っ張り上げたのか全くわからないようなもので溢れており、混沌の極みです。

　ゴムも釘もプラスチックも、引き取り価格は概ね1キロ75ピアストル（10円程度）です。イード家の月収は、家族総出で働いても３００～４００エジプトポンド（５０００円程度）

にしかならないと言っていました。イードさんは五人家族なので、一人一日2ポンド（約30円）程度で暮らしていることになります。

世界銀行が一日1・25ドルと定める貧困線は、エジプトでは当時8・5ポンドと定められていました。エジプトではそれとは別に「極貧線」も定められており、それは一人一日5・7ポンドでした。イード家の暮らしはその更に半分以下であり、非常に苦しい生活であるのはこの数字上からも明白です。

ゴミは不衛生であるのはいうまでもなく、中には針や割れたガラスなど危険なものも多く含まれます。しかしイードさん一家は、毎日黙々とゴミを集め、分別しつづけます。それ以外に仕事がなく、それ以外に生きる術がないからです。

下水設備がなく体を洗うことも洗濯をすることも滅多にないため、一家はみなひどく汚れた服を着ており、髪も体も汚れ放題です。

私にくっついて回る女の子たちはみな、学校の制服のようなものを着ています。聞くと学校には通っており、NGOから制服や教科書を支給されているとのこと。支給されるとはいっても、もちろん新品ではありません。制服も汚れているのは言うまでもなく、あちこち破れていて、お尻が見えそうな子もいました。見るに見かねて、針と糸がどこかにないか聞いてみたのですが、何のことを言っているのかよくわからないようでした。破れた服を縫って直すといった文化も、ここにはないのです。

女の子たちはみな明るく朗らかなのですが、年頃の女の子がボロボロの制服を着て、ボサボサの髪の毛のまま学校に行くことを思うと、胸が痛みました。お母さんたちに聞くと、スラム出身者は学校で汚いなどといってバカにされたり、いじめられたりするので、学校が嫌になってやめてしまう子が多いと言っていました。

学校も未来が開ける場所ではない

スラムの中にいる限り、子供たちにとってはスラムが「ふつう」であり、周りの子供たちもみなスラムの子なので差異を感じることはありません。しかしそこから一歩外に出て学校に行き、スラムではないところに暮らす子供たちと机を並べると、彼らにとって自分たちが「ふつう」ではないこと、自分たちが他の子たちとは違うことを嫌でも思い知らされます。スラムの子は他の子が持っているものを持っていません。スラムの子はいつも他の子よりもずっと貧しい身なりをしています。スラムの子の居心地の悪さ、肩身の狭さは想像するに余りあります。

しかもエジプトには、学費が無料の公立学校であっても、及第するためには教師にお金を払い「補習」を受けなければならないという奇妙な「制度」があります。スラムの子たちはそんな金を支払うことはできないので当然の如く落第し、その結果ほとんどの場合ドロップアウトする、という話も多く聞きました。

勉強を頑張りよい成績をとりさえすれば、よい学校に進学でき、よい職業につくことができて、スラムから抜け出すことができる……といった道も、ここの子供たちには実質的に閉ざされているのです。ある一定のお金がないと学費無料の公立学校すら満足に卒業できない、というのがエジプトの実情です。

学校は彼らにとって未来への展望を抱くことのできる場所ではなく、厳しい現実を思い知らされる場所です。ほとんどの場合、彼らはわずかの期間、外の世界の学校に通うだけで、その後はスラム生活に戻り、スラムで結婚し、スラムで一生を終えます。

一方、小学校に通い始めたばかりの子供たちに、将来は何になりたいの？　と尋ねると、口を揃えて「医者」だと答えます。エジプトではこういう時に「医者」と答えるのがよい子だとされているのもありますが、なかには医者になって「牛の腹」の人たちの病気を治したいんだなどと熱心に語る子もいます。私には、「そうだね、なれるといいね、がんばってね」と言うことしかできません。

その頃イード家の12歳の長男は何度か落第が続き、いまにも学校をやめてしまいそうだということで、イードさんもマイヤーダさんも大いに悩んでいました。学校を辞めてしまった男の子は昼間からスラム内をうろつくことになり、悪い仲間に簡単に取り込まれます。エジプトには、わずかな金で殺人でも何でもする「バルタゲーヤ」と呼ばれるチンピラのような「ならず者」がいるのですが、スラムは「バルタゲーヤ製造工場」と揶揄されるほど、多くのバルタゲーヤを生み出していると言われます。イードさんたちも長男がこのまま学校を辞め、バルタゲーヤになってしまうことを恐れていました。

何が本当で何が嘘なのか

バルタゲーヤはスラム内でも頻繁に問題を起こします。イードさんの家の近所でも、グループ同士がナイフで切りつけ合う「抗争」が頻発し、怖くて外に出られない日もあると言っていました。マイヤーダさんは私に、「だからあなた、絶対に一人でここにきちゃだめよ」と念を押しました。

イードさんのお兄さんのうちにはマイヤーダさん以外にも多くの子供がいるようでしたが、お兄さんの奥さんは、はっきりとした人数も、子供たちが何をしているのかも、あまり語りたがりませんでした。15歳の女の子は学校を辞めて既に結婚し、12歳の男の子はイードさんのうちの長男と同様に退学寸前だとだけ言っていました。

お兄さんの奥さんは、お兄さんの仕事は道ゆく人に紅茶を売ることだと言っていました。エジプトには確かにそうした仕事をしている人がいます。しかし私はイード家を何度も訪れましたが、イードさんのお兄さんには結局一度も会うことがありませんでした。本当は何か、別の事情があったのかもしれません。何が本当で何が嘘なのか、何が大切で何がどうでもいいのか、そういった感覚が狂ってくるような錯覚をおぼえます。

ある時、私たちがイード家を訪れると、イード家の隣に住む若者が私たちのことを待ち構えていて、「どうしても話したいことがある」と言ってきました。

この若者は、これまでも私たちが行くと頻繁に顔を出し、自分は大学を卒業したとか、自分はシャルムのホテルで働いていてシャルムに家がある、などと誇らしげに語っていました。通称シャルム（シャルム・エルシェイク）というのはシナイ半島の紅海沿いにあるエジプトきってのリゾート地で、そこに住んだり働いたりするというのはエジプトの若者にとっての憧れでもあります。

彼について私たちは、シャルムで働いていてシャルムに家があるのになんでいつも「牛の腹」にいるのだろうか、と話していました。また彼のおじいさんは、家が一部倒壊した際に角材で脚を折ってしまい歩けないと言っていたので、もしシャルムで働いてお金があるなら、なぜおじいさんを病院につれていかないのだろうか、などとも話していました。

その彼がどうしても話をしたいというので聞いてみると、自分には付き合っている女性がいて結婚の約束をしているのだが、婚資がどうしても足りないので金を貸してくれないか、という無心でした。彼曰く、相手の女性は「牛の腹」の住民ではなく、もっと「ちゃんとした」家庭の出身で、結婚するには自分がスラム出身だということを隠し、しかもそれがバレないだけの婚資を用意する必要がある、とのことでした。

「でもシャルムで働いていてシャルムに家があるんじゃなかったっけ？」と言うと、「ああ、そうだった。だけどそれとは別に、婚資がどうしても必要なんだ。あなたたちにとっては、大した金額じゃないだろう」と食い下がります。

それにしてもすぐにパッと用意できるような金額ではなく、なかなかの額の大金を無心されたので、さすがに「ちょっと考えさせて」と即答は避けました。彼の目にどうしても、嘘やズルさがあるように見えてしまったのもその原因です。

マイヤーダさんにそれとなく聞くと、彼はシャルムで働いてなどいないし、大学にも行っていないと言います。そもそも「牛の腹」住民のほとんど全員が「牛の腹」住民と結婚するし、外の人と結婚した人など聞いたことがない、と言っていました。

彼の発言の真偽や、それが見栄を張るためなのか、単純にお金が欲しかっただけなのか、それらはなにひとつ判然としません。私の方もそれをはっきりさせようとも思わず、彼を責める気にも全くなりませんでした。スラムという閉ざされた世界に生きる彼らが、どんな小さなチャンスも逃すまいと必死になる気持ちもわかるからです。

「イードはもういないよ」

私たちとイード家の細々とした付き合いは、ある時突然、終わりを迎えました。

前回の訪問時に、マイヤーダさんが長く腹痛に苦しんでいると言っていたため、彼女用の薬と食べ物、子供達のためのお菓子などを持って「牛の腹」に行き、イード家に向かって歩いていると、顔見知りの住民が「イードはもういないよ」と声をかけてきました。

「いないってどういうこと?」と尋ねると、「警察に捕まった」と言います。

その人は詳しいことは知らないと言っていました。もう少しイード家に近づくと、近所の人たちが口々に「イードは人を殺したんだよ」と言ってきます。いろいろ聞いても、事情などはよくわかりません。とにかくイードさんがナイフで誰かを刺殺し、警察に連れて行かれたきり帰ってきていない、ということはわかりました。

人々は近所で殺人事件が発生して間もない割には皆、平然としています。「牛の腹」では人が人を殺す事件が頻繁に発生するので、とりわけ特別なことでもない、ということのようでした。

「牛の腹」の人々にとってはそうなのかもしれません。しかし私にとっては、一瞬、頭の中が真っ白になるほどの衝撃的な知らせでした。イードさんが子供たちに向けていた優しい笑顔や、黙々とゴミを分別する様子が思い出されます。私はもちろん、イードさんやその家族のことを熟知しているなどとは全く思っていませんでした。しかし物静かで働き者の彼と、彼が犯した殺人という事実が頭の中でどうしても結びつかず、私は彼らのことなど本当にこれっぽっちもわかってなどいなかったのだということを、痛いほど思い知らされました。

いつも子供たちが遊びまわり、出入りの激しかったイード家は、今は扉が閉ざされひと気もありません。一家の主人を突然失ったマイヤーダさんと子供たちはどうしたのだろう、これからどうするのだろうと思いはしましたが、扉を叩く気持ちにはどうしてもなれませんでした。

そしてそれ以降、私は「牛の腹」を訪れるのを止めました。

私には彼らの人生を丸ごと引き受けることなどできません。彼らにとっても私は、通りすがりのアラビア語を話す外国人に過ぎず、別に私に何かを期待していたわけでもないでしょう。私が来なくなったところで、彼らはそれをそういうものとして受け止め、ほどなく私のことなど忘れてしまうに違いありません。彼らにとっての最重要事項は、毎日の食い扶持をどうにか確保することであるはずです。圧倒的な現実を前に、「よそ者」でしかない私は自分の無力さをひしひしと思い知らされました。

エジプトにはイード家のような困難に直面している人や、それよりもさらに苦しい生活をしている人が、数千万人もいます。世界に目を向ければ、その数は数十億人に膨らむでしょう。彼らは単に金銭的に困窮しているだけではなく、スラムに住んでいるがゆえに医療、衛生、教育、上下水道などのサービスが受けられなかったり、子供が能力を発揮し伸ばす機会を得られなかったり、社会における差別ゆえに就職や結婚ができなかったり、常に犯罪が身近にあるため安心して暮らせなかったりといった、複合的な困難を生きています。

イードさんたちからスラムの困窮や閉塞感、絶望を教えてもらった私に唯一できることは、エジプトにはイードさんのような人たちが存在し、今も困難な日常を生きているのだということを、伝え続けていくことだと思うことで、私は自分自身を納得させようとしています。

エジプトという国に、ピラミッドやツタンカーメンの黄金マスクといった古代王朝の過去の栄光のみを重ねて見たい外国人にとっては、それは興味もないし、知りたくもない現実なのだと思います。ハーガルやうちの運転手も、スラムの存在はもちろん知っているけれど「牛の腹」に行くまで彼らがどんな生活を送っているか知らなかったし、別に知ろうとも思わなかったと言っていました。多くのエジプト人にとってすら、イードさんたちの存在は不都合な現実なのです。

その事実を見た以上、目をそらすことはできない

エジプトから帰国後、２０１７年から２０２１年まで私はタイに住んでいましたが、その間に友人のアメリカ人が「どうしてもピラミッドが見たい」とタイからエジプト旅行に行ったものの、予定の日程を切り上げて戻ってきたことがありました。聞けば、「街は汚いしエジプト人はうるさいし、物乞いも多いし、鬱陶しいのよ。ピラミッドだけで十分だわ」とのことでした。エジプトを訪れる外国人観光客の多くは彼女のように古代エジプトとピラミッドにのみ興味があり、現代のエジプトになどほとんど全く興味がないのです。彼女は熱心な米民主党支持者で、いつもトランプ大統領の悪口を言っていました。日頃、貧困は社会悪だ、差別には反対だと熱く語っているリベラリストが、エジプト人のことを吐き捨てるように「うるさい」「しつこい」と見下すのは、私にはひどく矛盾しているように思われましたが、彼女自身は、全くそうは思っていないようでした。

貧困、病気、差別、暴力、戦争など、社会に存在する問題を目の当たりにすると、私はいつも、

その大きさや深刻さにたじろいだり圧倒されたりしてしまいます。貧困者を救え！　これは社会のせいだ！　政治のせいだ！　差別反対！　戦争反対！　と大声で叫びながら、次の瞬間そんな事実など全くなかったかのように平然と日常生活を送ることが「正義」だとは、どうしても信じることができません。そうした活動を「正義」だと信じて疑わない人には、傲慢な思い上がりを感じてしまうからです。

私は学生の頃から、国連やＮＧＯなどで「かわいそうなイスラム教徒」の支援活動をする人たちも見てきました。彼らが、自分自身は極めて多額の報酬を得て豪邸に住み、贅沢な暮らしをしつつ、他者に寄付や支援を募るのを見るたびに、何とも言えないやるせない思いにとらわれてきました。それは、「私にはとてもこの人たちの真似はできない」という思いでもあります。

私にも困っている人を助けたいという気持ちはあります。それは誰もが持つ、人としての自然な気持ちだと思います。しかし他方、私には私の生活があり、私にとって一番大切なのは自分と自分の家族だという現実があります。自分の中にあるその自己愛や利己心を素直に、正直に認めない限り、あらゆる問題に対するどんな楽観も、どんな活動も、単なる偽善に過ぎないのではないかと私は思います。

しかし徹底的に利己的な自分を前提とした上でも、それらの問題が現実に存在する以上、それを見なかったことにするよりは、ただたじろぐことしかできなくても、それをしっかり見てその事実を受け止めるという態度のほうが、まだ肯定できます。そしてできるときに自分のできる範囲で何かをすることが、誰かをほんの一瞬でも幸せな気持ちにするかもしれないという可能性を、私は信じています。

社会に対して自分がすべきこと、できることは何なのだろうという模索は、たとえはっきりとした答えが見つからなくても決してやめてはならない営為なのだと私は思います。

10

ふたつの革命

タハリール広場で「革命」1周年を祝うエジプト人たち。

二度目の革命

その日は朝から、普段の日とは違っていました。

平日にもかかわらず学校や職場の多くが予め休みだとされており、我が家の近所も午前中はほとんどひと気がありませんでした。昼の礼拝が終わった後も人影はまばらでしたが、次第にその数は増え、そのうち周囲の建物から次々と人がはき出され、みな同じ方向に向かって歩き出しました。ベランダから見下ろすと、近所の顔見知りのお兄さんやお姉さん、おじさんやおばさんたちが、エジプトの国旗を手に持ったり、背中にマントのようにまとったり、体に巻き付けたりして出かけていくのが見えました。みなが目指しているのは、うちから3キロほど離れたところにある「革命」の象徴、タハリール広場です。

我が家のバウワーブ(門番)のおじさんたちも、長い棒を持って建物の入り口に現れました。彼らはタハリールには向かわず、建物の防衛に専念してくれるようです。少し安心しました。

2013年6月30日。この日はイスラム主義者としてエジプト史上初めて大統領となったモルシ氏に、退任を要求する大規模デモが呼びかけられていました。ムスリム同胞団員のモルシ氏が「民主的選挙」を経て大統領に就任したのは、そのちょうど1年前のことです。

イスラム主義というのは、政治や経済、社会、司法を含む、公私に渡る人間生活の全てをイスラム法に従って執り行わなければならないとするイデオロギーであり、全世界のイスラム化を志向します。エジプト発祥のムスリム同胞団は現在、世界最大のネットワークを持つイスラム主義組織となっています。

6月30日に先立ち、デモ主催団体はモルシ退任を求める署名が2200万人分集まったと発表しました。さすがに2200万人は誇張ではないかと疑っていたのですが、デモ決行日が近づくごとに反モルシの気運は顕著に高まり、私自身も次第に、これはひょっとするとひょっとするのではないか、という気持ちに傾いていきました。

我が家の下にあるパン屋の店員のお兄さんたちは、私を見かけるたびに「6月30日行く?」と声をかけてきました。そのたびに「私は行かないよ。エジプト人じゃないし」と答えるのですが、それでもまた「6月30日行こうよ」と誘ってきます。「あなたたちは行くの?」と聞くと、目をキラキラさせながら「当たり前だろ?!」と口々に答えます。娘を幼稚園に連れて行く際に通る道にいつも座っているおじさんたちも、ワクワクした様子で「6月30日行くだろ?」と声をかけてきます。彼らは明らかに「その日」を心待ちにしていました。

「行く」というのはもちろん、タハリール広場に行ってモルシ氏率いる同胞団政権打倒のデモに参加するという意味です。当日までにこの言葉は、カイロ中で合言葉のように広まっていました。一人ひとりに、自分たちエジプト人が自分たちの国エジプトを変えるのだ、という強い意志が漲っていて、それが社会全体を突き動かしているかのようでした。

中東各地に「アラブの春」と呼ばれる騒乱が吹き荒れた2011年1月、エジプトの人々は「革命」によってムバラク大統領の30年間にわたる独裁を終わらせました。しかしそれから2年半を経て、今度は自分たち自身が民主的選挙で選んだはずのモルシ大統領を、自分たち自身の手によって大統領の地位から引きずり下ろそうとしていました。

それだけ聞くと実に奇妙な感じがするかもしれませんが、そこに至るまでにはたくさんの出来事と、そこに至るだけの十分な理由がありました。

モルシ政権への失望

一言で言うなら、ムバラク氏以上に独裁化したモルシ氏の失政により経済が低迷し、困窮し追い詰められた人々の堪忍袋の尾が切れたのです。

人々がモルシ氏に投票することによって託した希望は、モルシ氏自身によって踏みにじられました。デモ直前には、モルシ氏の支持率は25%にまで落ち込んでいました。

モルシ氏は、「民主的な選挙」によって大統領に選出されましたが、「民主的に選出」された大統領が必ずしも「民主的な政治」を実行するとは限りません。

モルシ氏の独裁化の兆候は、2012年6月の大統領就任直後から現れ始めました。モルシ氏は国や地方自治体の高官を次々と更迭し、同胞団員を後任に据え始めたのです。人々はその現象を「同胞団化」と呼ぶようになりました。

8月には複数の政府系大手新聞社の編集長を突如一斉に解任し、同胞団員やその影響下にある人物を新編集長に任命しました。モルシ氏や同胞団化を批判した独立系新聞やテレビ局は、編集長やアンカーが続々と逮捕され、発行や放送が停止させられたり放送免許が剝奪されたりしました。

私はエジプト在住中、毎日10紙ほどの地元新聞に目を通し、常に複数の画面でニュース・チャンネルをつけっぱなしにしていました。エジプトの最有力紙アハラームは、モルシ氏が就任後100日間で実現させると約束した「交通渋滞の解消」「ゴミ問題の解決」といった諸課題について、「あと~日でこれらの諸課題をどう実現させるのか」とカウントダウン形式で批判的に論じる記事を毎日掲載していましたが、編集長交代を機に同コーナーは消滅し、同胞団批判は紙面から一掃されました。

モルシ氏は公約をなにひとつ実現しないばかりか、エジプトの主要産業である観光業はさらに低迷し、失業率はさらに上昇し、物価はさらに高騰し、ガソリンはますます不足し、停電がますます増え、人々の生活はますます逼迫していきました。暴動やデモも頻発し、警察はモルシ氏による内務省・警察の同胞団化に抗議するため治安維持の任務をボイコットし、結果的に治安はますます悪化しました。

生活に困ったのはエジプト国民だけではありません。外国人である私も大いに困りました。車にガソリンを入れるためには数時間並ばなければならず、それだけ並んでも給油できない時もありました。うちの運転手はガソリンを入れに行くと、いつまでたっても戻ってこないのが普通になりました。

停電も毎日、容赦なくやってきます。40度を超える暑い日にも停電し、料理をしている最中にも停電し、エレベーターに乗っている間にも停電し、歯科医院で治療中にも停電しました。こちらの都合など考えず突然やってくる停電は、いつまで続くかもわかりません。電気がついている時間より停電している時間の方が長いような日もありました。

私が住んでいたのは、ザマレクというカイロ市内でも最も治安が良いとされる地区のひとつですが、それでも近所で銃撃戦が発生しました。現場は我が家のすぐそばにある、いつも利用している銀行の入っている建物です。なぜかそこに、殺害されたリビアの独裁者カダフィ氏の甥が住んでいたのが原因なのですが、その時もし銀行に行っていたら巻き込まれていたところでした。

交通渋滞にはまったある日、私が乗っている車の前にいた車の運転手が横の車の運転手と口論になり、一方がもう一方に急に銃口を突きつけるのを見た時には、肝を冷やしました。カイロでは口論や殴り合いの喧嘩はいつものことですが、いきなり銃というのは普通ではありません。

強まる言論弾圧

メディアでモルシ批判、同胞団批判が強まるにつれ、モルシ政権による言論弾圧も強まりました。

辛辣なモルシ批判で知られたギーハーン・マンスール氏がアンカーを務めていた情報番組は、ある日突然、テレビ局自体が放送禁止処分を受け、モニターには「我々の局は政府によって放送を禁じられた」という文字だけが映し出されました。モルシ氏はこうした強硬策によって、政権批判を封じこめようとしたのです。

日々着実に、目に見えて報道の自由は失われていきました。2013年5月には、国境なき記者団（ＲＳＦ）が、エジプトのモルシ政権を「報道の自由の破壊者」に認定しました。失われたのは報道の自由だけではありません。民主主義の基本である三権分立も、モルシ氏の下に完全に失われました。

議会が解散し不在状況にあったエジプトでは、8月にモルシ氏が発布した憲法宣言によってモルシ氏自身が立法権を掌握することになりました。モルシ氏は11月、12月にも立て続けに憲法宣言を発布し、これによって実質的にモルシ氏が三権全てを掌握することになりました。

モルシ氏が独裁化と国の「同胞団化」を進めるにつれ、国内の同胞団以外のあらゆる勢力が抗議の声を上げ反発を強めました。メディアや世俗勢力は、どう客観的に比較してもモルシ氏のほうがムバラク氏より圧倒的に独裁者だと非難したのに対し、モルシ政権の「おかげ」で「イスラム的自由」を謳歌していたはずのアシューシュ師らサラフィー勢力は、モルシ氏がイスラム法による統治に踏み切らないことを非難し、「すぐさまイスラム法を施行せよ！」「今こそジハードを遂行しエルサレムを解放せよ！」と迫りました。

モルシ政権は世俗勢力の口を封じサラフィー勢力を味方につけるため、政治のイスラム化を積極的に推進しました。世俗法にかわってイスラム法を適用することが同胞団の目的のひとつであることは、エジプトでは誰もが知っています。

1928年にムスリム同胞団を設立したハサン・バンナーは、カリフ制再興を同胞団の最優先課題に掲げ、「イスラム教の本質は、支配するが支配されず、すべての国にイスラム法を課し、その力を地球全体に拡大させることである」と述べました。

モルシ氏も2012年5月、大統領選を前にカイロ大学で行った演説で、「今日、我々はイスラム法を確立することができる。我々の国家はイスラム教とイスラム法によってのみ、福利を獲得することができる」と述べ、「『コーラン』は我々の憲法だ！」と繰り返し叫び、支持者から喝采を浴びました。

希望から絶望へ

米拠点のシンクタンクであるピュー・リサーチ・センターが世界39カ国、3万8000人のイスラム教徒を対象に行った調査では、エジプト人イスラム教徒の74％がイスラム法を国法とすることに賛成しており、そのうちの74％がイスラム教徒だけでなくコプト教徒に対してもイスラム法は適用されるべきだと回答しています。コプト教はエジプトで発展したキリスト教の一派で、その信徒はエジプトの人口の約1割を占めます。モルシ政権のイスラム化戦略は、多数派を占めるイスラム教徒の大衆に受け入れられる素地が十分にありました。

モルシ氏が推進したイスラム化は、宗教的マイノリティであるコプト教徒に対する差別、抑圧というかたちでも表出しました。ある社会におけるイスラム化の度合いを顕著に示すのが、宗教的マイノリティの扱いです。イスラム化が進んだ社会では、イスラム教の教義に立脚し、宗教的マイノリティへの差別、抑圧が苛烈になります。

「アラブの春」の時、人々が目標として掲げていたのは自由や尊厳、正義の実現でした。タハリール広場での18日間の蜂起の間に、少数派であるコプト教徒は、自分たちも多数派であるイスラム教徒と平等な市民になったと感じ、宗教的な隔たりを超えて人々が結束する新しい時代の到来を信じました。

モルシ氏も大統領就任演説では、「私は国民とともに革命の目的を追求し、自由、社会的公正、人間の尊厳の実現のため力を合わせる」と述べました。ところが革命の世俗的色彩はモルシ政権下に完全に失われ、コプト教徒の希望は絶望に変わりました。

モルシ政権が経済的な失策を重ね人々が生活苦に喘ぐ一方、同胞団化された新聞紙上では、「コプト教徒はズィンミー（庇護民）なのでジズヤ（人頭税）を課すべき」といった主張が展開されるようになりました。ジズヤ必要論はまるで、国民の多数派を占めるイスラム教徒の目をモルシ政権の失政からそらせるための妙案のようでもありました。

とはいえ、実際に国営メディアがジズヤ必要論を政治課題としてとりあげ、有識者や宗教指導者らがそれについて「2ポンドならば安いし不満もなかろう」などと大真面目に検討し始めたのですから、もはや私にとってもひとごとではありません。

ジズヤとズィンミー

当時の私は、「エジプトというイスラム教徒が多数を占める地に住む非イスラム教徒」でした。イスラム法的には、よくてズィンミー、下手をすると問答無用で殺される不信仰者です。実に理不尽ですが、イスラム法統治下では宗教による差別が当然とされるのが定めです。その解釈の如何を独占的に支配するのは権力者であり、当時で言えばムスリム同胞団です。同胞団がある日突然、「今日からイスラム法統治開始！」と宣言し、私に対しても「はい、おまえ奴隷ね」とか「はい、おまえ死刑ね」と決定しようと思えばできる状況にあったわけですから、これはもう恐怖の極みです。

ジズヤというのは、イスラム法で異教徒に課すと規定されている人頭税のことです。異教徒はジズヤを支払い二級市民としての立場を受け入れることと引き換えに、イスラム統治下にズィンミーとして暮らすことが認められる、というのがイスラム法の規定であり、前近代はイスラム世界各地にズィンミーがいました。

モルシ政権下のエジプトではイスラム法が施行されていたわけではないので、コプト教徒はズィンミーなどではありませんでした。しかしイスラム主義者の陣営からは、コプト教徒はズィンミーなのだから当然ジズヤが課されるべし、とまことしやかに述べる論者が続出したのです。

ズィンミーは、私の大学の卒業論文と修士論文のテーマでした。卒業論文では、15世紀にサハラ砂漠のオアシス都市でイスラム教徒の暴徒がズィンミーを虐殺し、教会を破壊した暴動について記された文書を分析しました。修士論文では、ズィンミーに対してイスラム法規定がどのように適用されてきたかについての分析を行いました。博士課程に入ってからはイスラム法理論の研究に転向したのですが、それでもズィンミー研究は私の中ではライフワークの一環であり続けてきました。

しかしまさか、いつか自分自身がズィンミーという立場に置かれる可能性について真剣に考える日がやってくるとは想像だにしませんでした。ズィンミー研究をしていた自分が「ズィンミー堕ち」するかもしれないというのは、目眩《めまい》のするような世界です。一種のタイムトラベル感すらあります。

コプト教徒の受難

幸か不幸か、私はもし自分がイスラム法統治下に置かれたら、どのような処遇を受けるかを具体的に知っているので、社会における「非イスラム教徒はズィンミーとして扱うべき」という論調の高まりは全く看過できませんでした。ジズヤも「2ポンドなら安いからいいや」などという、金額の問題ではないのです。私は殺されるのも、奴隷にされるのも、ズィンミーにされるのも真っ平ごめんでした。

この時期、全力で同胞団統治に反対したのがコプト教徒です。私は外国人ですから、いざとなったら自国に帰るという逃げ道がありますが、彼らにはそれがありません。私の知人のコプト教徒は、真剣に外国への移住を検討していました。エジプトは彼らの祖国であり、エジプトでもしイスラム法が施行されるようなことになれば自分たちがどうなるか、彼らは熟知していました。

西暦639年にアラブ人イスラム教徒がエジプトを征服するまで、エジプトで多数派を占めていたのはコプト教徒でした。ところが現在、コプト教徒の数はエジプト人口の1割程度にまで減少しています。

イスラム教徒が「覇者」の目線で記す歴史には、これはコプト教徒がイスラム教こそ真の宗教だということを理解し、イスラム教に改宗したからに他ならないと説明されます。しかしコプト教徒たち自身はこれを、イスラム統治下に「ズィンミー堕ち」し、重税と屈辱を伴う厳しい差別や、しばしば発生する弾圧や虐殺に耐えかね、イスラム教に改宗せざるを得なかった同宗者が多かった証だと理解しています。

今を生きるコプト教徒たちは、自分たちのその歴史を決して忘れてなどいません。11世紀のファーティマ朝期、14世紀のマムルーク朝期など、イスラム王朝支配下にコプト教徒がしばしばイスラム教徒の暴徒によって略奪、虐殺されたり、教会や修道院が襲撃されたり、家屋が放火されたり、修道女が裸にされて引き摺り回されたりしたことを、彼らは覚えています。

中世の高名なイスラム法学者イブン・カイイム・ジャウズィーヤ（1350年没）は、ズィンミーが支払うべき人頭税（ジズヤ）について、「それは血の代償であり、不信仰者の屈辱の象徴であって、彼らを罰するためのものだ」と記しています。ジズヤはしばしば市場のように人の多く集まる場所で徴収され、ズィンミーはその際、殺害を免れるかわりだといって見せしめに頭や首を叩かれました。ジズヤを支払うと、その印が服などにつけられ、それが不名誉と屈辱の証となりました。

教会建設や鐘を鳴らすこと、宗教的シンボルを外に出すことや行事を行うことが禁じられるなど信仰の自由は大幅に規制され、馬に乗ってはいけない、上等な衣服を着てはならない、イスラム教徒とは服装も靴も髪型も違っていなければならない、イスラム教徒が通ったら目線を落とし道を譲らなければならないといった差別的ルールも課されました。イスラム法廷ではズィンミーの証言は採用されないため、もし「イスラム教を侮辱した」などと訴えられると厳罰を免れる道はありませんでした。

近代以降もコプト教徒はしばしば迫害されてきました。1980年代から90年代にかけてエジプトでイスラム過激派の暴力が横行した時代には、実際にジズヤが徴収されていた地域もありました。

2011年のムバラク政権崩壊前後から、コプト教徒に対する暴力や迫害は再度増加しました。

2011年1月1日にアレクサンドリアにある教会前で自爆テロが発生しコプト教徒21人が殺害されたのを皮切りに、シナイ半島北部ラファハの教会が焼き討ちされ、ミニヤでコプト教徒の一家11人が殺害されました。3月にはキナーでコプト教徒が耳を切られた上で惨殺されました。4月にはそのキナーでコプト教徒の知事が任命されると、1万人以上のイスラム教徒が「あいつは不信仰者のブタだ!」「我々はブタ野郎に支配などされない!」などと反対デモを実施し、知事は解任されました。5月にはカイロの教会、ギザの教会3カ所が焼き討ちされました。9月にはミニヤの中学校で、コプト教徒の女生徒にヒジャーブ着用が強制されるという事件が起こりました。

私は「アラブの春」後のエジプトには「イスラム的自由」があったと書きましたが、それは統治が緩み、社会が不安定化し、一部のイスラム教徒によるコプト教徒への敵意や憎悪が剝き出しとなった時代でもありました。社会のイスラム化が進み、治安が悪化したことで、宗教的マイノリティの立場の脆弱さがはっきりと露見したのです。2011年4月から2012年6月までの15カ月間に、24カ所のコプト教会が襲撃され、62人のコプト教徒がコプト教徒であるという理由で殺害されました。

この革命後の混乱期を経て、2012年6月に選挙によって政権の座についたのがムスリム同胞団です。

相次ぐ暴動、誘拐、殺人

ムスリム同胞団の第6代最高指導者ムスタファ・マシュフールは1997年4月のインタビューで、コプト教徒は軍隊に入隊するのを免れる代わりにジズヤを支払うべきだと述べました。

第7代最高指導者ムハンマド・アーキフは2004年、イスラム法施行を軸にしたエジプトの改革案「改革イニシアチブ」を発表、2005年には人民議会選挙に際して「イスラムこそ解決」というスローガンとイスラム法施行を目標に掲げました。

2007年に初めて明らかになった同胞団の「政策綱領」では、「イスラム法に基づき非イスラム教徒は大統領職と首相職への就任から除外される」と規定されていました。アーキフは、「コプト教徒をエジプトの大統領にするくらいなら、イスラム教徒のマレーシア人を選んだ方がマシだ」と発言したことでも知られています。

同胞団が目指すのはイスラム教に立脚する、イスラム教徒による、イスラム教徒のための政治です。コプト教徒は警戒心を新たにせざるをえませんでした。

コプト教徒について研究しているレイチェル・スコットとムスリム同胞団について研究しているマリス・タドロスは共に、コプト教徒の多くは、自分たちはイスラム支配下では安全ではなく、同胞団は彼らをズィンミー化しようとしているという懸念を今も抱いていると指摘しています。モルシ政権下に、それは単なる懸念ではなく、現実的な脅威であることが明らかになりました。

モルシ政権下でコプト教徒への暴力はさらに過激化しました。2012年7月にはダフシュールでイスラム教徒の暴徒がコプト教徒を襲撃し、一つの村からコプト教徒の120

家族が移住を余儀なくされました。9月にはラファハのイスラム教徒の暴徒がコプト教徒に対し、48時間以内に街から退去しなければ殺すと脅迫し、当地の知事はコプト教徒を保護するかわりに彼らに隣町へ転居するよう要請しました。

誘拐も相次ぎました。２０１３年1月にはコプト教徒の医師が誘拐されて拷問されました。5月にはミニヤで6歳のコプト教徒の男の子が誘拐され、身代金を払ったにもかかわらず殺害されました。営利目的の誘拐の他にも、２０１１年から13年までに５００人以上のコプト教徒少女が性的搾取や結婚目的で誘拐されました。

２０１３年4月にはカイロ北部で銃撃戦が発生し、コプト教徒5人が死亡しました。さらに彼らの葬儀が行われていた聖マルコ大聖堂をイスラム教徒の暴徒が襲撃、警察はそれを傍観しただけでなく、聖堂内部に向けて催涙弾を発射しました。コプト教徒を守るはずの治安当局がコプト教総主教座の置かれている大聖堂を攻撃したことに、コプト教徒たちは計り知れないショックを受けました。

事件後、コプト教皇タワドロス二世はロイター通信とのインタビューでコプト教徒について、「社会的孤立と呼べる疎外感と拒絶感がある」と述べ、モルシ政権を非難しました。

モルシ政権はコプト教徒を全く保護しませんでした。彼の1年間の統治期間に、24の教会が襲撃され、17人のコプト教徒がコプト教徒だという理由で殺害されました。

２０１３年6月30日のデモには、全国で２０００万人近い人が参加したとされています。モルシ退陣を要求する署名をした２２００万人という数は、あながち嘘ではなかったのです。これは実に、エジプト国民の５人に１人にあたります。

デモに参加したのはもちろん、コプト教徒だけではありません。あちこちで暴動が発生して治安が悪化したり、物価が異常に高騰して食べ物が十分に買えなかったり、失業して収入を得る手立てを失ったり、電気がつかなかったりする生活に、人々はうんざりしていました。モルシ政権が懸命に行ったのは、独裁化と同胞団化だけでした。国民の５人に１人がモルシ降ろしのデモに参加したという一見信じがたい数値に、彼らの怒りの大きさが如実に表れています。

モルシ氏は辞任を拒否しましたが、7月1日には軍が介入し、3日にはモルシ大統領を解任・拘束、モルシ政権は終焉を迎えました。モルシ大統領解任を宣言した軍の最高指導者シシ氏の後ろには、イスラム教の権威者であるアズハル総長とともに、コプト教皇の姿もありました。人々は軍の介入を熱狂的に支持し、「革命」の成就を喜びました。

日本メディアでは「軍事クーデター」に

エジプトの人々は、2011年に「革命」によってムバラク政権を打倒し、2012年に選挙によってモルシ氏を大統領に選出し、2013年に再度「革命」によってモルシ政権を打倒しました。ところが米オバマ政権をはじめとする西側諸国はモルシ氏の正統性を擁護し、エジプトで発生したのは軍事クーデターだと批判しました。

ふたつの革命の担い手は、ともにエジプトの人々でした。第一革命に参加した人のほとんどが第二革命にも参加し、第二革命には第一革命に参加しなかった人も参加していました。にもかかわらず、日本を含む西側諸国のメディアや研究者は、2011年の第一革命を「よい革命」と持ち上げ、2013年の第二革命を「不正な軍事クーデター」と非難しました。

選挙ではなくデモによってモルシ政権を打倒したエジプトは、近代民主主義的視点から評価すれば「失格」です。選挙で選んだ大統領をデモで引きずり下ろすなどというのは、あるまじき「蛮行」と映るでしょう。

しかし、これがエジプトです。エジプトの行く末を決めるのはエジプトの人々であるはずです。彼らの選んだ道に対し、よそ者がよそ者の尺度をあてがって「ダメ」だと判断し、批判することの妥当性について、私は甚だ懐疑的です。エジプト人が誇る第二革命によそ者たちが「軍事クーデター」のレッテルを貼るのを、私は実に白々しく眺めました。彼らは自分たちの「先進的」な政治イデオロギーを振りかざし、エジプトのような「遅れた国」を見下しているだけで、自らの欺瞞や差別意識、ダブルスタンダードには思いも至りません。

それまでの私にとって、革命というのはあくまでも「歴史的概念」でした。それは世界のいくつかの地で過去に発生した歴史的事象であり、その意味で考察対象ではあっても、自分自身がそれを経験することになろうとは思いもよりませんでした。

もちろん私自身は、エジプトのふたつの革命の担い手ではありません。エジプトの片隅に身を置きつつ、進行する革命をこっそりと覗き見させてもらった傍観者に過ぎません。しかし彼らが、一度自分たちで成し遂げた「革命」を同胞団から取り戻すべく再び「革命」に踏み切り、それに「成功」したのを目の当たりにした一人として、私にはそれを否定したりバカにしたりするようなことはとてもできません。

西洋近代的な自由民主主義だけが世界で唯一正しい政治体制であるというのは、実におかしな話です。なぜ西洋だけに、正しさの基準を独占する権利があるのでしょうか。その権利を独占し他者を見下す奢り高ぶった態度は、反省し改めるべきだと歴史を通して学んだはずではなかったのでしょうか。西洋近代思想のなかには、価値の多様性を認めるという考えがあったはずではないでしょうか。

エジプトの人々という当事者不在のまま、革命を悪しざまに言う日本や欧米のメディアや研究者に対し、私は心底、嫌悪感を覚えました。それまで私が日本の中東イスラム研究者の立ち位置や論調に対して抱いていた不信感は、彼らは極度に偏向しており現実の人々や事象などどうでもよく、ただ中東やイスラム教を利用して自らの政治イデオロギーを吹聴しているだけなのだ、という確信に変わりました。

もはや「テロ」でしかなかった

エジプトはふたつの革命後、その成功の余韻に浸る間も無く、暴力の渦に巻き込まれていきました。

モルシ政権が崩壊し、モルシ氏だけでなくムスリム同胞団幹部に次々と逮捕状が出され拘束される中、同胞団員たちは各地で暴力行為を繰り返すようになりました。彼らはそれを「抵抗」や「ジハード」と呼んで正当化しましたが、その暴力の犠牲になる大多数の一般人にとっても当局にとっても、もはやそれは「テロ」でしかありませんでした。

同胞団が暴力の矛先を向けたのは、またしてもコプト教徒でした。2013年8月14日にカイロ市内で同胞団員たちの座り込みが軍によって強制撤去されると、同胞団員たちはエジプト国内各地の教会に対して放火、襲撃、略奪といった蛮行に及び、修道院、コプト教系の学校、孤児院、店などへの攻撃も相次ぎました。襲撃された教会は、3日間だけで47カ所にのぼりました。

日本の中東イスラム研究者やメディアは、ムスリム同胞団を「穏健なイスラム主義団体」「草の根の穏健派」と称讃し、今も擁護し続けています。しかし彼らの暴力を目の当たりにした私には、彼らの主張、行動のどこにも「穏健さ」を見出すことはできません。

ムスリム同胞団設立者ハサン・バンナーは、「全人類をイスラム教徒にし、全世界をイスラム化するという目標に向かって闘うことは、すべてのイスラム教徒に課せられた義務である」と述べたことで知られています。

ムスリム同胞団のスローガンは、「アッラー（神）は我らが目標、預言者は我らが模範、『コーラン』は我らが憲法、ジハードは我らが道、アッラーのための死は我らが最も崇高な望み」です。同胞団のシンボルマークは『コーラン』の下に交差した剣が描かれ、その下に「準備せよ」と書かれたものです。この「準備せよ」は、『コーラン』第8章60節「かれらに対して、あなたの出来る限りの（武）力と、多くの繋いだ馬を準備せよ。それによって神の敵、あなたがたの敵に恐怖を与えよ」に由来しています。

1948年にエジプトのエルノクラシー・パシャ首相を暗殺したのも、1954年にナセル大統領を暗殺しようとしたのも同胞団員です。近代のイスラム過激派最大のイデオローグであり、体制転覆とイスラム法による統治を主張し、拘束され死刑に処されたサイイド・クトゥブも同胞団員です。

アルカイダ設立者のウサマ・ビンラディンはサイイド・クトゥブの弟のムハンマド・クトゥブと、同胞団のイデオローグであるアブダッラー・アッザームに師事しており、アルカイダの二代目指導者アイマン・ザワーヒリーも元同胞団員でした。

２０１４年6月にシリアとイラクにまたがる地域でカリフ制再興を宣言した「イスラム国」は、中東各地で次々と支部の樹立を宣言し、コプト教徒などの異教徒を狙い撃ちにしました。２０１５年2月には、リビアに出稼ぎに行っていたコプト教徒21人を斬首する映像を公開しました。

ムスリム同胞団と「イスラム国」は、イスラム法による統治を全世界に広めることをめざしている点、その目標実現のために暴力に訴える点、そして非イスラム教徒を特に狙い撃ちにする点において共通しています。私が目撃したムスリム同胞団は、イスラム過激派組織そのものでした。

いまも戦いは続いている

2014年6月に選挙を経て大統領に就任したシシ氏は、リビアでのコプト教徒斬首事件を受けて7日間の国喪を発表し、教会を訪れて哀悼の意を表しました。コプト教徒の死に対しこのようなかたちで弔意を示したエジプト大統領は、シシ氏が初めてでした。シシ氏は、コプト教徒のクリスマス・イブの礼拝に参加した初めてのエジプト大統領でもありました。コプト教徒もイスラム教徒と同様にエジプト人であると常に強調し、未認可だった教会を認可したり、教会の新築も許可したりもしました。コプト教徒のあいだでは、「シシ氏は初の『我々の』大統領だ」という声が広まりました。一方でシシ氏は、イスラム主義者たちからは「異教徒に融和的な不信仰者」と罵られました。

「政治にイスラム教が持ち込まれるとどうなるか」を、同胞団統治の1年間は明らかにしました。同胞団が2011年の革命後に設立した政党は「自由公正党」という名でしたが、同胞団統治下のエジプトからは自由も公正も失われ、国と社会の同胞団化、原理主義化が進み、より一層貧しくなった人々からは人間としての尊厳までもが奪われました。同党の副党首にはコプト教徒がおかれましたが、これは内外に向けた「多様性アピール」にすぎず、一般のコプト教徒市民は国家や警察に守られることなく、略奪や迫害、殺害、誘拐の対象とされました。同胞団の政治は、偽善に満ちていました。

2013年の第二革命によって、エジプト政治のイスラム化、原理主義化には歯止めがかかりました。「イスラム国」がイラクとシリアにまたがる領域にイスラム法を施行するカリフ制国家の樹立を宣言したのは、その翌年のことです。エジプト当局によってテロ組織指定された同胞団のメンバーはトルコやカタールといった親同胞団国家に逃亡するか、地下に潜り武装組織を結成してテロ攻撃を続けました。また一部は、エジプトのシナイ半島を拠点とする「イスラム国シナイ州」に合流しました。

2019年3月に「イスラム国」がシリアで支配していた最後の街を失うと、日本メディアは一斉に「『イスラム国』は壊滅した」と報じましたが、これはウソです。「イスラム国」はシリアで領土を失っただけであり、世界各地で戦闘員は今も「健在」です。

2020年にコロナウイルスのパンデミックで、「イスラム国」と戦っていた軍や治安部隊が市中の治安維持に従事することとなり、テロとの戦いが手薄になると、「イスラム国」はその間隙をついて勢力を拡大させました。

アフリカは今や、中東に代わって「イスラム国」やアルカイダなどイスラム過激派の「安全地帯」となっています。

日本に近い東南アジアのインドネシアやフィリピンでも、「イスラム国」は攻勢を強めており、両国政府はテロとの戦いを強化しています。

私たち日本人が「イスラム国」は壊滅したと思い込み、油断すれば、「イスラム国」の思う壺です。彼らの目的は世界征服なのですから、世界の人々が彼らの存在を忘れ警戒を怠ることは、彼らにとって好都合なのです。

エジプトでは今も「イスラム国」との戦いが続いています。エジプトでは徴兵制がとられており、若い兵士が次々とテロとの戦いの前線に投入されています。

日本中のほとんどの人が「イスラム国」を忘れようと、私は忘れることなどできません。それは私が研究者だからだけではなく、今も近くで「イスラム国」の脅威に接している人々の顔を思い浮かべることができるからです。

「イスラム国」を勝手に壊滅したことにして不都合な事実を隠蔽したり、エジプトの革命をクーデターだと勝手に決めつけて見下したりするのではなく、私たちにはもっと別にすべきこと、できることがあるはずです。

私は今も、友人たちのことを思い出しながら、偽善的で偏向したイスラム研究者やイスラム報道に向き合い続けています。

飯山 陽
Iiyama Akari

1976年生まれ。東京都出身。イスラム思想研究者。アラビア語通訳。上智大学文学部史学科卒。東京大学大学院人文社会系研究科博士課程単位取得退学。博士（文学）。著書に『イスラム教の論理』（新潮新書）、『イスラム2.0』（河出新書）、『イスラム教再考』（扶桑社新書）、『イスラームの論理と倫理』(共著、晶文社)がある。

エジプトの空《そら》の下《した》
わたしが見た「ふたつの革命」

2021年11月25日　初版
2024年 6 月15日　6刷

著者　飯山 陽
発行者　株式会社晶文社
〒101-0051 東京都千代田区神田神保町1-11
電話 03-3518-4940（代表）・4942（編集）
URL https://www.shobunsha.co.jp

印刷・製本　ベクトル印刷株式会社

ISBN978-4-7949-7281-1 Printed in Japan